# 脱炭素で輝く地域づくり

## 「自治体と民間」による共創―化石文明から再エネ文明へ

竹林征雄／金谷 晃 著

化学工業日報社

# 推薦のことば

　本書の著者 竹林征雄さんは、日本の高度経済成長期の公害対策時代から今日の気候危機時代に至るまで、民間にあって一貫して対策技術の開発と普及に関係した人、つまりその時代、時代の環境保全対策に通じた人として、この分野ではよく知られた技術者です。

　「ポンプの荏原」として世間では知られた荏原製作所が藤村宏幸社長・会長時代に「環境の荏原」として看板をもう一つ追加したときに、活躍した一人が竹林さんです。機械技術者の彼は若い時分に、東京電力の福島原子力発電所が建設された際にも、関連技術者として参加したそうです。しかし例の東日本大震災（3.11）により発生した大津波でその原発が破壊され、核燃料がメルトダウンし、放射性汚染が地元の福島県だけでなく、広範な地域の人々の暮らしにきわめて甚大な被害を与えるのを見て、「日本は、森林資源に恵まれているので、これからはバイオマスの積極的な利活用が進むべき道だ」と悟り、以降、その開発と利用に大きく舵を切ったそうです。つまり竹林さんは、ポンプ、原子力発電、大気汚染や水質汚泥などの公害、そして廃棄物処理などの関連技術を経て、バイオマスの利活用に踏み込んだ、筋金入りのエネルギーと環境分野の専門家なのです。私はそういう彼の活動に長いこと注目し、また折々に私が解らないことや技術関連の情報など教えをいただいてきました。

　さて、世界も日本も今、環境の崩壊、特に気候危機にさらされています。国連のグテーレス事務総長は「地球温暖化の時代は終了し、地球沸騰の時代に入った」と宣言しているほどです。もちろん、国際社会も日本も対策を取らないで傍観していたわけでは全くありません。1990年代以降、科学者が積み上げるエビデンスや理論に基づき条約を作り、議定書や協定を結び、国や自治体も法律や条令を制定し、企業も家計もそれなりに対策努力をしてきましたが、その効果もなく、$CO_2$などの温室効果ガスの排出量も地球の気温も上がっていく一方で

す。国際的には 2015 年の「パリ協定」、そして国内では菅義偉政権が 2020 年 10 月に、2050 年までに温室効果ガスの排出量と森林などによる吸収量を均衡させ、「実質ゼロのカーボンニュートラル」を実現すると宣言し、その旨、法律（温暖化対策法）に書き込みました。このとき以来、「脱炭素」という言葉が日本の社会で飛び交うようになり、国会も地方議会も、また経済団体も、ドミノ現象のように「脱炭素」を宣言するようになりました。

　「脱炭素」とは、18 世紀後半の「産業革命」以降（日本では 19 世紀の明治維新以降）、発電、工場や自動車、飛行機、船などを動かす燃料としてきた化石燃料（石炭、石油、天然ガス）の使用を限りなく少なくするということなのです。私はよく、「体内の血液を抜き取り他の栄養物質に置き換える位の大転換だ」と言っていますが、これを 20 〜 30 年以内に達成しようというのは至難の業です。しかし気候危機から脱出するには、避けて通れないのです。しからばどうすればよいのか。私を含む多くの専門家は、①省エネの徹底によりエネルギー需要そのものを縮小する、②太陽光、風力、水力、地熱、それにバイオマスなどの再生可能エネルギーを総動員する、の二つしか選択肢はないと言っています。このほか原子力の利用を挙げる人はいますが、地震大国の日本では安全性の問題と放射性廃棄物処理の大問題があります。放射性廃棄物処理は高コストで、その上、処理・処分にも長時間かかるため、今後 10 年程度が気候危機脱出のラストチャンスと言われている中では、原子力は全く選択肢にはならないと私は思っています。

　ここで重要なことは、日本人が生きるに足る新しい経済システムを地域社会の中に創ることですが、そのためには足元に豊富に存在する資源を持続的に活用できるようにすることです。本書の舞台は群馬県上野村ですが、黒澤八郎村長は、森林資源を活用し、地産地消ではなく「地産地活」を最大限に追求しようとしておられます。素晴らしいお考えだと思います。

本書は、竹林征雄さんが長年の経験を通じて蓄積してきたバイオマス利活用のノウハウを提供し、彼と共著者の金谷氏からの協力を得て上野村が実践した際の記録を基にまとめたものが主体です。いわば理論と実体験を基に書かれていますので、全国の他の自治体にとっても今後必要となる、あるいは現在取り組んでいるバイオマスエネルギー活用の更なる推進に参考になる良書と確信し、推薦する次第です。

　2024 年 6 月

元環境庁　地球環境部長

株式会社環境文明研究所　所長

認定 NPO 法人環境文明 21　顧問

加藤 三郎

# 推薦のことば
## エネルギーと地域政策　―ローカル・ニューディールに向けて―

　地方自治体にとって、脱炭素にどのように向き合うかが非常に重要なテーマとなってきています。エネルギー問題に地域政策としてどのように関わっていくかが問われているともいえます。私は若い頃、霞が関で国土計画や地域開発計画に関わっていました。1980年代のはじめに、国土庁（現 国土交通省）に在籍していたときに、「エネルギーと地域政策」という提言レポートを出したことがあります。地域の特性を活かした地域独自のエネルギー政策の必要性を提起したものです。検討のポイントは、一つ目は石油資源の制約が強まるなかで積極的にローカルエネルギーを活用していこうということ、二つ目は地域ごとにエネルギーの需要と供給構造を分析し、地域の特性を踏まえたエネルギー政策を展開していくこと、三つ目は省エネルギー型の都市づくりやコミュニティ構築など、エネルギー政策と都市政策、まちづくりとの連携でした。特にローカルエネルギーの活用については重点を置いて提言しました。

　それから30年以上経過して、国のエネルギー政策が大きく転換してきました。契機は、東日本大震災と福島第一原子力発電所の事故でした。再生可能エネルギーの導入に向けて、固定価格買取制度（FIT）が始まり、民間企業が積極的に市場に参入することで、技術革新を生み出しました。再生可能エネルギーは地域資源を活用したエネルギーで、そこに地域経済政策としての大きな意義があります。高いお金を使って化石エネルギーを購入せずに地域内でエネルギーが自給できれば地域経済のメリットは極めて大きいのです。

　私は2013年FITがスタートしたときに地域間産業連関表を使って、再生可能エネルギーの導入が進んだ場合、北海道経済にどのような影響があるのかマクロな経済効果を試算したことがあります。灯油やガソリンなど、北海道で購入されている化石燃料をすべて再生可能エネ

ルギーに置き換えると2,648億円の経済誘発効果をもたらすというレポートを発表しました。反響は大きく、新聞等でも紹介されました。化石燃料購入による地域経済の損失は予想以上に大きく、再生可能エネルギーに置き換えることが地域経済にとっては大きなメリットがあるのです。

　一方で、自治体が脱炭素にどのように向き合うかはなかなか難しい問題です。私は地域開発政策の経験から、ニューディールの発想がヒントになると考えています。1930年代、米国発の世界大恐慌が起こったとき、当時のルーズベルト大統領は、テネシー川流域開発公社（TVA）による電源開発や新都市づくりなど新たな地域開発政策をニューディール政策として推し進め、世界を大恐慌から救いました。ニューディール政策は、経済不況からの脱出に、新しい地域の開発に先行投資して、経済の活気を生み出しながら、米国の発展基盤を形成することに成功したのです。米国ではこの成功体験から、歴代大統領が、脱炭素に向けた政策を「グリーン・ニューディール」と呼んでいます。そこには脱炭素という難問を、新たなチャンスとして捉えようという戦略が読み取れます。地域自らが、成長戦略のツールとして脱炭素を生かす方法を考えることが大事です。受け身では誰も知恵を授けてくれません。

　自治体が脱炭素に向けた新しい地域社会を構築していくためには、ローカル・ニューディールの視点が大切だと思います。地域課題の解決と脱炭素に向けた政策を融合させながら、成長戦略に結び付けていく発想です。そこでは総合政策としての展開が大事です。環境部門だけで進めるのではなく、観光や交通、福祉、教育などの政策機能を結合してマネジメントしていく政策ツールとして脱炭素を仕掛けていく視点が大切です。いわばグリーンを軸にした政策統合です。自治体には、中央省庁の縦割りの仕組みや思考が予想以上に浸透しています。自治体には、総合化して取り組める優位性があります。縦割りを突破するいい機会だと自覚して脱炭素の取組を戦略的にとらえることが大

切でしょう。

　本書は、脱炭素に向けた地域政策をどのように展開していけばいいのか、体系的に大変分かりやすく解説されています。本書を契機に自治体がエネルギー政策に正面から向き合い、脱炭素に向けた新たな挑戦が各地から生まれてくることを心より期待しています。


　2024 年 6 月

　　　　　　　　　　北海道文教大学　地域創造研究センター長

　　　　　　　　　　　　　　　　　　小磯 修二

## 出版に寄せて
### －脱炭素がつなぎ脱炭素で輝く地域コミュニティ

群馬県上野村　村長

黒澤　八郎

　パリ協定（COP21）が採択されたことにより、温室効果ガス排出削減のための具体的な努力目標・数値目標が、多くの国から示され、脱炭素化が加速しています。今や脱炭素は、強い危機感と人類の良識に起因した世界的な潮流ですが、日常に目を移せばまだまだ切実感は乏しく、自分事として捉えられてはいないと往往に感じます。

　時間的猶予がない中、個々人の行動変容を促すためにも、自治体行政における脱炭素への挑戦は極めて重要であるとして、上野村は、県の宣言にも呼応し、2050年に向けた「Ueno 5つのゼロ宣言」を、2020年に宣言いたしました。

　その5つの目標の一つに「温室効果ガス排出量は実質ゼロ」を掲げ、そのために「エネルギーの地産地活」を最大限進めることや、化石エネルギー依存の縮減と省エネ化の推進などについて、全村エリアで取り組むことといたしました。特に、村の97％を占める森林資源を活用したエネルギーの地産地活は、域外に流出していたエネルギー調達コストを地域内に留め、資金環流と多面的な効果を生み出すことから重点を置いており、今、着実に進展しています。

　私は、基礎的自治体である市町村が動かねば、日本が目指すネットカーボンゼロのゴールは遠のいていくのではないかと考えます。

　個人の行動、企業としての対策、コミュニティとしての取り組み、いずれも重要ですが、脱炭素に向けた大きなうねりを日本全体で起こ

すための鍵は、自治体が握っていると考えます。

　上野村は、エネルギーの地産地活と脱炭素の実現に向け、村ぐるみで事業を展開し、もって地域課題をも解決し、そして何よりも村の価値を磨き、高めていくことを目指しています。

### 【上野村の取り組み】

　上野村は、人口 1,040 人（令和 6 年 1 月 1 日現在、住民基本台帳人口）と、島嶼部を除けば、人口では関東地方で最も小さな自治体です。人口減少・高齢化という厳しい現状もありますが、一方で人口の約 2 割が移住者であるなど、永年の移住定住対策が実を結んでいます。

　様々な分野で、着眼が先駆的であるという評価をいただくこともありますが、これは、逆にとらえれば、それだけ農山村の課題が先行しているということでもあります。特に、産業振興は、村の持続のための最重要課題であり、木質バイオマスによるエネルギーの地産地活の取り組みも、その起点は、上野村が目指す林業の再生にありました。

　木材価格が長期に低迷し、先人の汗が染みた森林が放置される中、林業の活路はどこにあるのか。最大のストック資源である森林の無限の力に、先人の営みを重ねたときに得られた答えが、地産によるエネルギー利用でありました。

　かつて山村地域は、薪や木炭を生産することで、地産地消のみならず、都市部のエネルギー供給の一部も担い、森林を保全しつつ、森林の再生利用を当たり前に行っておりました。そう考えますと、木質バイオマスエネルギーは、言わば先人の知恵を現在の技術（ボイラーとガス化）に置き換えただけのものといえるわけですが、これが、木材利用の出口戦略として、極めて有望であると着目をいたしました。

　そこでまず、間伐材などの未利用材を活用するため、2011 年に木質ペレット製造工場を稼働、村内の温泉施設、農業用ハウス、住宅の暖房などで利用することを皮切りに、小型ガス化熱電併給設備を整備し、木質バイオマス発電の電力と排熱により椎茸の生産を行ってい

す。

　群馬県は全国上位の椎茸生産地ですが、その中でも上野村は、安定した産地として認められるまでになりました。村の森林が電力を生みだし、森林の持てる力により村の主産業が維持されているのです。

　この地産エネルギーによる産業の連環が、地域内の資金環流を起こすわけですが、素材生産を担う林業、エネルギー生産を担う木質ペレット工場という直接の仕事はもちろんのこと、木質バイオマス利用に関係する宿泊観光業、福祉施設、農業などにおいても事業展開の広がりによる波及効果は大きく、村内全体で雇用と所得を創出する好循環が生まれています。更には、資金環流は山元の森林所有者への還元にも及び、森林活用の意欲が高まり、気運が盛り上がります。

　このような地域内循環は、単なるエネルギー消費ではなく、地産エネルギーが地域内で活かされ、地域を活かすという大きな意義があります。そこで、地産地消ではなく、エネルギーの地産地活と表現しているところです。

　また、森林資源の中で、最大の未利用資源といえる広葉樹は、日本においても世界に目を向けても森林面積の約６割を占めますが、その活用度は極めて低いのが現状です。これからは広葉樹を最大限に活用するための研究開発が求められており、本村としても、国等の支援を受け、先駆けとなる実践的取り組みを開始しました。

　このように、村の持つ地域資源の有効な活用法を加えて、地域内循環のスケールを２倍３倍とし、もって村を創生し、持続につなげることが目標の一つでありますが、加えて、2022年に国の脱炭素先行地域に本村が選定されたことから、脱炭素に向けた再生可能エネルギーの徹底利用と、蓄電池の普及による効率的で自立型の電力確保を進めます。今、上野村はエネルギーの地産地活から、脱炭素の村へとステップアップしています。

　また、エネルギーの地産地活とは、村という場の循環であるわけですが、木質バイオマスについては、樹木の育成期間である25年を周

期とした原木調達計画を策定し、原木の長期調達サイクル、すなわち時間軸での循環を構築します。

　このようなことが、地域コミュニティごとの事情に適合した仕組みとして横展開できれば、エネルギーの国産国活とも成り得るのではないでしょうか。

　そして、55億㎥（2022年林野庁データ）といわれる日本の森林資源の価値がよみがえり、山村の創生と持続的発展に向けて展望が開けるのです。


## 【脱炭素がもたらすもの】

　脱炭素に取り組むことは、地域課題の解決につながります。本村においては、まず、木質バイオマスエネルギーの地産地活により、林業の持続的成長が図れます。また、エネルギーの地産は、自立分散型電力が確保されることでもあり、災害レジリエンスが強化されます。更に、再エネ活用によるコスト削減により、公共サービスの維持を工夫することもできます。豊かな自然環境に加えて、エコビレッジともいえる暮らしぶりが実現されていることに共感が得られるならば、この共感は移住定住の動機になるとも思われます。

　そして、何よりも大切で、期待することは、これらを通じてシビックプライドが醸成されることです。村の価値を磨き上げるとは、このことであると考えます。


## 【所感として】

　再生可能エネルギーの活用、自立分散型の電力確保、脱炭素の推進、いずれも専門的知識を必要として、行政事務としてはこれまでに関わったことのない分野に切り込んでいかなければならないことですが、脱炭素の実践対策の構築と、その実践の主体は、やはり自治体が担うべきと考えます。

　上野村は、バイオマス産業都市としての認定を受け、また脱炭素先

行地域の選定により、国の関係府省の横断的支援をいただけるとともに、同じ方向を目指す自治体のネットワークから、情報や知見、また様々な経験値をいただくことができ、大きな支えとなっています。しかし、振り返りますと、手がかりや基本的な知識を得ることから始まり、なかなかに大変な業務であることは、実感として常によみがえります。

　この度本書が発刊され、多くのデータとともに脱炭素の必要性の真価を知るとともに、国の政策を活用した具体的手法まで詳細に共有できることは、極めて有効です。脱炭素を目指す特に自治体関係者にとってバイブルとして活用されることを願います。そして、本書の活用に加えて、脱炭素に向き合う全国の同志は、互いの経験知見を公開し、すべての取り組みをブラッシュアップさせるべきと考えます。

　脱炭素社会とは、民意高き理想社会と考えます。そのような社会実現のために本書の執筆にあたられた竹林先生、金谷先生両氏には、心から敬意を表します。

# はじめに－皆で進める脱炭素化とまちづくり

　地球温暖化は、化石燃料の急激、過剰な燃焼利用に起因し、排出された炭酸ガスは少なくとも数百年から千年は消えることはありません。一端出始めたら、あとは元に戻すことは至難の業。そのガスにより気温は温暖化を加速させ、地球環境破壊、生態系毀損、経済や社会や平和をも狂わせます。灼熱地獄、熱風に煽られ、瀧の如き豪雨などで、大災害を招き被害は世界至るところで甚大化するばかり。

　その「加害者であり被害者」は我々なのです。この真綿で首を絞められる事態を変革、対処するには、我々自身が脱炭素対応を加速し社会の大きなうねりへと進めねばなりません。現状のままでは一層悲惨な事態を招き、取り返しの付かない時が待っています。

　あなたは、この地球温暖化による極端な気候に悩み、何か身近な出来ることは無いか、どうすれば良いかなどと模索されていませんか?

　本書は、多くの「気候変動、地球温暖化、脱炭素」などの詳細な科学的な説明、解説の書ではありません。あなたが、主となり地域とともに温暖化による凄惨な事態を回避する脱炭素化社会形成を一歩でも先へ進めつつ、同時に衰退する地域を生き活きと輝かせましょうという書です。

　あなたも私どももすべての人々が、街中においても、そして特に地域の豊かな森林や農業や漁業の場で再生可能エネルギー活用による、安心安全、安定した持続的な「暮らしも生業も」成り立つことを目指そうと執筆しました。

　さらに実務的な再生可能エネルギーを基軸とし、その活用で地域力、稼ぐ力をつける脱炭素社会の形成には、基礎自治体である市町村の現実的、具体的な取組みが不可欠です。このため、地域の特性に合わせた目指すべき明確な長期ビジョンの作成や、それに向けた脱炭素戦略や事業遂行に関係する方々との連携体制をどう構築したら良いのかな

どを書いています。また、この脱炭素化による地域創生の推進主体は、市町村と住民と民間事業者です。そのため市町村は、地域の住民と民間事業者が脱炭素に取組むメリットとデメリットを分かりやすく明快に説き、積極的に市民と連携できる計画づくりと市民の脱炭素行動にはそっと手を添え、支えることも重要です。

　市町村の職員も住民のあなたも、地域脱炭素の計画づくりと事業推進を外部のコンサルタントや民間事業者まかせとせず、自分事として脱炭素によるまちづくりの全体像を理解し、実効性の高い計画を作成し、職員と住民が納得の上で実行していただくことを願います。

　自治体と民間は、国や県などの事業助成を最大限活用することも重要です。自治体、民間が協力し学びつつ事業推進へ励むその折りにはすぐに参考となる書と思います。


　著者の竹林は、以前に福島第一原子力発電所の1号機炉格納容器脇の危機対応ポンプ設計や遠心分離機用ウランガス移送機の開発に従事しました。その後「環境、ゼロエミッション、資源循環、サステナビリティ学」に携わり、東日本大震災（3.11）の惨状から巨大な技術の塊ほど脆いものは無いと感じ、そこで小型分散電源があれば地方では危険性も電力不足もなく直ぐ復旧でき、地域も復興も容易と考え直しました。以降、日本は森林大国なので木材燃料によるシンプルなガス化熱電併給システムを調べ、国内初の電力180kW、熱280kWの設備を群馬県上野村へ導入しました。それが社会の循環形成や地域の持続性となると今は確信しています。

　金谷は、環境共生型のまちづくりをライフワークとしており、地域資源を最大限活用した多様な人々の連携によるコンサルティングサービスを全国の市町村に提供してきました。脱炭素に関する計画づくりは、広範囲にわたり担当課が横断的になることから、庁内関係部署をはじめ、住民・民間事業者等の関係者との折衝、合意形成に注力してきました。一方、地域の現状と課題を最も熟知しているのは、自治体

職員の皆さんですので、積極的に計画づくりに関与いただき、血の通った計画とするためにも計画づくりの全体像を把握できる本書が必要であると考えました。

　これまであなたも私どもも含めて、多くの市民は一部の化石エネルギー関連産業や国によるエネルギー政策へ依存し、口出しも関与することも無い他人まかせでした。そこへ巨大地震や地球の温暖化が激しくなり悲惨な災害状況報道を目に耳にし、日本でも甚大な災害、40℃近い熱風、またパリ協定の衝撃的「1.5℃目標」報道、日本政府の脱炭素宣言などが次々と続きました。

　あなたも私どもも皆で、地域で再生可能エネルギー発電所を建設して「自分の手」に電気も熱も握り、自分で、地域で「運転、維持、管理」をせねばなりません。そうしない限り、暮らしも産業も地元経済も悪化し稼ぐこと無く、衰退するばかりです。暮らしと産業の血液であるエネルギーには、化石エネルギーより「クリーンな地元資源活用の再生可能エネルギー」を使うことがあなたの地域の消滅自治体化を防ぎ、蘇らせるのです。これこそが家族と地域の持続性も安全も安心も、幸せも得られるものと考えます。

　今現在、この瞬間、あなたも皆も、温暖化について何か対処し、家族や地域コミュニティや財産を守らねばと感じているはずです。


　本書のタイトルは世界中、全人類が抱える共通課題の「気候変動危機」にどう対応するのか？などとはしませんでした。これは庶民にとり、遠くきつく大きすぎる社会課題で「他人事」になるからです。地道に持続、循環可能な資源豊富な地方から急いで身の回りの節電に始まり、家の断熱化、省エネ家電や再生可能エネルギーの導入などの行動が「自分事」となり、目に見えて成果も肌身に感じ、その先に国や世界が変革すると考えていただくための主題、副題としました。

　脱炭素・再エネ転換は化石資源への決別、広くは世界的環境文明への転換を意味します。それは「経済、環境、SDGs、まちづくり、自

治の在り方（ローカル・コモンズを考慮)」など含めた世界のグローバル・コモンズやガバナンスの在り方への大転換を図ることとも言えます。それほど現代は、地球が傷付き、人類が生き延びることができるか否かの瀬戸際にいると思います。

　この本を手にしていただき有り難うございます。あなたとともに脱炭素を考え、気候変動による異常な炭素増殖を防ぎ、心穏やかで幸せな地域づくりを実践しましょう。必ず、あなたと地域に気づきをもたらす書になると考えています。

# 目　次

# 第2部 ビジョン編

# 第3部 計画編

# 最初に-脱炭素は、日本最大の産業振興

## 「これまでの気候と社会」

気候は日々、季節ごと、年ごと、そして万年単位の幅の中で変動を繰り返す自然現象。それが少なくとも80万年以上続き、更に変動の振幅は5から10万年の周期で過ごしやすい間氷期と生き延びるのが精一杯の低温の氷期です。現在は1万5千年前に氷期が終わり、間氷期です。

しかし18世紀の産業革命以降、気温はかすかに上がり始め地球全体がゆっくりと気づかぬままに温暖へと変化していました。

石炭活用の蒸気機関から排出された二酸化炭素（炭酸ガス、$CO_2$）は、延々と昼夜問わず2世紀に渡り排出され続け、第二次世界大戦以降も飛躍的な産業復興発展を遂げ、石炭のみならずエネルギー源として活用しやすい高熱量の石油を使い、生産、消費、廃棄のサイクルを大きくしてきました。更に天然ガス利用が加わり、人口の急拡大にあわせ一層の「エネルギーと鉄鋼、化学素材、製品」などの生産と運輸などが加速度的に増え、大量の炭素を含む化石資源が使われ、大量生産大量消費により化石エネルギー文明（炭素文明）が確立していきました。

これらのことが気温の上昇を急速に押し上げ、地球の温暖化へと進んでいくとも知らずに、大量の$CO_2$を含んだ排ガスが国境の無い大気へどんどんと広がりました。

同時に、20世紀中頃には、一層の産業発展につれ公害が発生し、大きな社会問題となりました。工場排ガス、汚水により大気や河川、海の汚染と身体へのダメージは幸いにも限定的範囲で、誰の目にも被害が明瞭に写り、公害の源も特定され、因果関係が明らかとなり、企業も政府も対応し解決へと辿り着きました。

それに対し、目に見えず、臭気もせず、短期間ではそれによる影響も被らない炭酸ガスは大気に数百年の長い時を掛けて大気圏へ溜まりに溜まり、マグマが大爆発するが如く、急激に強度の「温室効果[*1]」により地球全体を異常な高温の気象へと変化させ、半世紀足らずで、世界の至るところで、様々な災害を招き、経済的にも巨額な打撃を与えています。この負の仕組みは長い間ごく少数科学者以外の誰にも知られず、暮らしや生産活動などから排出された「温室効果ガス（Green House Gas：GHG）」[*2]は気体ゴミですが咎められることもなく、宇宙へ捨て続けていたのです。

　これは地球社会ぐるみのグローバルな外部性であり、我々は家庭や産業から排出され目に見えるゴミや汚水は適正処理に費用を支払い内部化しています。しかし$CO_2$ガスは、有害ゴミの認識なく、費用をかけず、適正対応をせずにきてしまったことが全地球へ大問題を引き起こし、底なしの泥沼へと足を踏み入れてしまったのです。

　漸く1980年頃から気候変動問題に関心が集まり始め、国際連合が動き出しました。温室効果ガスの増え方は、**図－1**を見てください。

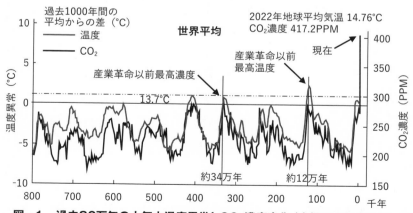

**図－1　過去80万年の大気中温度異常と$CO_2$濃度変化（南極での調査から）**

出所：elgana／NTT 西日本より

元資料：The amount of carbon dioxide in the atmosphere just hit its highest level in 800,000 years and scientists predict deadly consequences

一部竹林加筆

把握されている80万年間での濃度変化は一定した変動幅を示しています。この間の最大濃度は約34万年前頃の300ppmです。ところがその濃度は産業革命初頭から徐々に増え始め、ついにハワイマウナロア観測所開設時の1957年に初観測した数値以降は、年を追うごとにうなぎ登りとなり、400ppmを超えてしまったのです。これは急激というより、地球の歴史から見ると一瞬の出来事です。この2世紀半の間に人間が進歩と富を求めて積み上げてきた数々の活動のなせる所業なのです。

　$CO_2$濃度が高まると、それに伴い温室効果で気温も上昇します。それを**図−2**「1880〜2023年間の全球平均気温偏差[*3]」に示します。

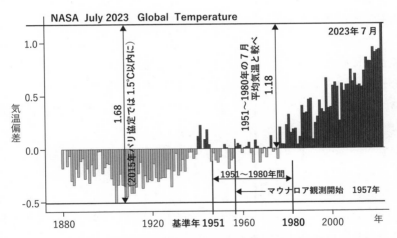

**図−2　1880〜2023年間の全球平均気温偏差**

出所：NASAウエブサイト、NHK（日本放送協会）2023年8月15日8時20分

*1　1−1−5項の図参照。農業用温室と同様、大気圏で炭酸ガス等（赤外線吸収物質）が地球を取り囲み太陽からのエネルギーで暖まるが、その吸収放散バランスが悪くガス内側に熱を貯め込み、気温上昇を招くと同様の状態を指す。1−1節（21頁）も参照。

*2　大気中の熱を吸収する性質のあるガスのことで、二酸化炭素（$CO_2$）以外にメタン、一酸化二窒素、代替フロン等4ガスのこと。

*3　年平均気温偏差とは、世界全体の平均気温は、平年と比較した値（偏差）によって表される。広い地域の気温を測定し平均するのが困難で、それを算出できても極寒の地や熱帯といったばらつきにより平均が意味をなさないため、平均的状態からの気温のずれをみるほうが、気候変動の監視に有用となる。

　　偏差は、地球の全地表面を緯度方向5度、経度方向5度の格子（5度格子）に分け、各格子の月平均気温の偏差（平均気温から1991〜2020年の30年平均値を差し引いたもの）を算出することで求める。

産業革命前の平均気温13.7℃を1850年から1900年までの基準とした平均気温偏差と2023年7月を見ると、1.18度上回り、産業革命の1880年代からの最大気温偏差幅は、1.68℃も上がっています。地球世界の壊滅化を防ぐには、2015年に国連会議で定めた「産業革命以前の気温より1.5℃以内に抑える」と決めた値を守ることです。残念ながら既に瞬間的にその数値は超えているのです。

　今日も多くの人々が何気なく「最近は昔より暑い。熱中症に気をつけて、こう暑くては身体も野菜も持たない。これまでに無い凄い豪雨、洪水、土砂災害、線状降水帯にならないで」などの話はよく耳にします。しかし嘆く口から、「化石燃料の使い過ぎで大災害に」、「元を正せば人間活動に問題があり、何とかしなくては、異常気象は敵だ」などの会話は聞かれません。被害にあわず、報道で見聞きする災害はよそ事。我が身に降りかかり、目の前で起こるなどと考えないようにしているのか、当事者意識、危機意識は恐ろしいほど希薄です。2023年の猛暑の夏以降はアラブ首長国連邦（UAE）・ドバイ COP＊⁴28 と併せて「脱炭素」という言葉がさすがに多く報道され始めました。

　もっと災害や気象の報道には、「この被害をこの酷暑を防ぐにはエネルギーを使わず、節約し、再エネ導入で脱炭素化しかありません。化石燃料を使い、楽な便利な暮らしをしてきたからです」ということを伝えて欲しいものです。出来れば災害報道で、「最早、異常気象災害は自然現象ではなく、明確に人災」と話しては如何でしょうか。昨今の苛烈な酷暑、巨大台風を呼び寄せ災害を起こした加害者は、あなた自身であり、いずれ被害者ともなるのです。つまり自業自得だと言っても差し支えないほどです。地球全体が急激に温暖化し、台風は巨大凶暴化し勢力を維持しつつ以前より長時間侵攻滞留し続けるという変貌を遂げ、大災害へと繋がっていると強く認識すべきでしょう。

＊4 COPは197カ国が参加する国連締約国会議（Conference of the Parties）のこと。役割は気候変動による温暖化防止取組み原則や措置などのルールを討議し、「気候変動枠組み条約」を定めること。COPの前は開催都市名、後の数字は開催数を示す。

産業革命以降、数えきれぬ発明開発が行われ、世界は確かに急速な進歩を遂げ、楽で華やかな経済成長もしました。一方、あまりの急激な化石資源文明、炭素文明により恩恵と格差の明暗する社会を生み、自然と環境、人類に大きな歪みをもたらしました。これまでの技術から大規模破壊の武器も高速移動も、便利な様々な家電や自動車や情報機器製品なども大量に生産されました。挙げ句の果てこれまで至るところで、地域紛争が拡大し、世界大戦にまでなり、今も資源や領土を巡り東ヨーロッパで、中東で戦争を繰り広げています。そんな悪しき進歩を、庶民は望まず、進化から何を得て何を学んできたのでしょうか。

　全世界の生活、経済活動で大量の化石資源を使い、地球や人類にダメージを与える温暖化への道を急いでいるようです。

　これから温暖化被害による悲惨な環境のなかで生き延びていくのか、破滅へ突き進むのかの時代となっています。

　そもそも870万の生物種には、わずかな小競り合いはあっても、それは主として生きて種を残すための食糧を巡る本能的なものです。その中でたった一種に過ぎない人類だけが生きて子孫を残すだけでは満足出来ず、巨大な経済と武器による様々な欲望の際限のない奪い合う振る舞い、何百万人もの大量虐殺も行う異様な存在です。簡単にまとめた図－3「人間の活動と地球温暖化への影響関連サイクル」の大幅な修正、修復を今急いで取り組む必要があり、それが脱炭素対応です。人は欲を持ち、失敗を繰り返しますが、立ち返り行動を改めることも出来、知恵も持ち合わせているのが、人間だと思いたい。

　これからも、その先も世の中が安定、安心して持続的な普通のいつも通りの「なりわい」の中で過ごせる社会を願う明るい希望へのきっかけに、本書がその一端となって欲しいと願います。

　そこへ辿り着くため、いきなり脱炭素は、補助金は、対応技術は、防災はなどと言う前に、エネルギーとそれに関わる暮らしや経済や地域おこし、それに世界の動きなどを俯瞰しつつ気候のシステム変異や

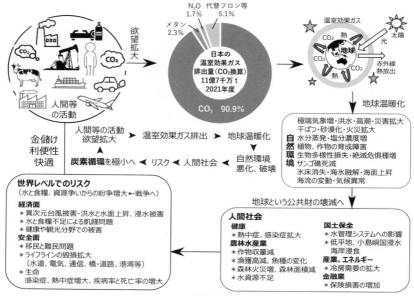

**図－3　人間の活動と地球温暖化への影響関連サイクル**

　温暖化の本質、地球温暖化による問題を理解確認し、今暮らしている
その場所、地域特性をしっかり見つめ直して、その地域にあった多様
な対応が必要と思いませんか。

　それには、日本のエネルギーが置かれている状況を理解し、なぜ温
暖化に、なぜ気候変動で被害が起きるのか、その元凶の温暖化をどう
防ぎ減らし、その緩和と適応[*5]に向かうには「自分ごと、地域ごと」
として捉え、何をすれば良いのかを調べ、話し合い考えることが大切
と考えます。その上で、行動、実行がなければなりません。

　そして単に脱炭素担当へ配属されたから、上司に言われたから、社
会が何か騒ぎだしているから、売り上げに影響するからなどが出
発点では、「暮らしや地域や企業」には寄与せず、中途半端な対応に
なりかねないのです。

---

[*5] 現実の気候または予想される温暖化の程度を抑制削減し、和らげる緩和と人間システムの再構築を通し、気候変動
　　による悪影響、被害を軽減回避する適応のこと。

多くの人と共に、地域特性や企業特性などにも深く広く考え合わせて実践体制の構築や行動を模索することから始めてはどうでしょう。この脱炭素という世界一の大仕事、超巨大プロジェクトは、「心の改革」とすら言え、配属、所属を嬉しくやりがいのある重要な仕事と思ってください。従来の組織、戦略、計画、行動様式、組織、文化、つまり過去の社会構造では、最早温暖化に対応出来ず、温暖化には立ち向かえないと考えます。

経済が良くなろうとも、温暖化加速により巨大損失が出れば、一瞬の間に暮らしや経済はひっくり返ります。経済ファーストなどより人類、自然界を守ることが、命や家族を、地域社会を、地球を救うことになり、引いては経済の在り方も変わる、それではどう改善、改革するかではなく、もう「大変革」を行うという決意行動しかありません。

## 「脱炭素におけるエネルギーの需要と供給」

① **需要側の話。**エネルギーは可能な限り省エネつまり「使用量」を抑える。建物関係では高断熱材、木製二重窓ガラスなどに入れ替える。高効率機器の導入と、既設機器類の効率を上げエネルギー消費量を減らすのは当然、加えて日本の誇るヒートポンプ技術*6や電気自動車、可能なら蓄電池活用に力を入れ、その上で、以下のことに取り組む必要があります。

② **供給側の話。**③以下を含めた脱炭素エネルギー「生産」です。脱炭素の役に立つのが15年も先の新技術ではなく、既存の「誰にでも分かり納得出来、無害で入手も容易で、使いやすい燃料が無償か安価で$CO_2$排出の無い「自然や再生可能なエネルギー」の早期インフラ導入整備による、熱や電力、動力を得るのが基本。**表ー1**「エネルギー概略分類」を参考に、どのような脱炭素系エネル

---

*6 少ない消費電力で空気中の熱を集め、大きな熱エネルギー（冷房、暖房、お湯）として活用。冷蔵庫やエアコンで利用されている技術。

表－1　エネルギー概略分類

| 大分類 | 中分類 | 小分類 | 利用 | エネ形態 |
|---|---|---|---|---|
| 脱炭素系<br>（クリーン、<br>グリーン<br>エネルギー<br>とも称する） | 自然系<br>特徴<br>・自然から取り出す<br>・枯渇せず<br>・燃料不要<br>・CO$_2$ガスがほとんど出ない、汚染物質もでない | 太陽 | 熱光 | 温水<br>電力 |
| | | 水力 | 落差と水量 | 電力 |
| | | 風力 | 陸上洋上 | 電力 |
| | | 地熱 | 低温高温 | 温水電力 |
| | 再生可能系<br>特徴<br>・自然界の有機物利用<br>・適切な維持管理が必要<br>・多くは資源購入費発生 | 木質系（大型発電は課題多し） | 薪炭<br>C,D材 | 燃料<br>熱、電力 |
| | | 蓄糞、生ゴミ、エネルギー作物系 | バイオガス | 燃料<br>電力 |
| | | 藻類系<br>価格・用地・育成に課題 | バイオガス | 燃料 |
| 炭素系<br>（化石エネルギーと称することも） | 地下化石系<br>特徴<br>・枯渇有限<br>・炭素リッチ<br>・利用が容易<br>・価格変動大 | 石炭<br>一番炭素多し<br><br>原油<br>天然ガス<br>炭素も少ない | 熱<br>電力<br>原料素材 | 燃料<br>発電<br>化学品 |
| 原子力系 | 地下資源ウラン活用、脱炭素系だが、課題が多すぎる | | | 発電 |
| 化学系 | グリーン水素、アンモニアは脱炭素だが、化石系からは不可<br>石炭混焼は不可、水素は有望だが普及は先 | | | 燃料<br>発電 |

※竹林作成

ギーがあり、何が炭素豊富なエネルギーかをよく検討してください。再エネ系既存技術は原子力発電などよりは、すぐ着工竣工出来、はるかに安心、低コストで、効率上昇も望め、実績が多く、入手しやすいものが大部分です。これが1丁目1番地、脱酸素の本家本元です。

③ ①や②の徹底遂行の上での話。原子力発電より近い将来安価となる浮体式洋上風力発電、ガラス一体型や薄く軽量カーブ可能太陽光発電、グリーン水素利用などの革新的技術、排出CO$_2$を水素と合成し炭化水素合成燃料生産などは、大いに研究開発実用化へ向

けて準備することは重要で、政府支援も望まれます。

④ **需要と供給の話。** エネルギーシステム分野は課題が山積。再エネ量を増やしても、送電線容量不足で接続不可能、日本固有の二つの周波数による電力会社間の大容量融通も不可能、変動電力の供給と需要のバランスを取るシステムも構築無し。それらにより再エネ出力抑制となり、全国で2022年度は約6億kWhの再エネが捨てられていました。このままでは、経済産業省試算では、2030年ごろには再エネによる発電量のうち最大で北海道は49.3％、東北は41.6％、九州は34％が捨てられる恐れがあると報道されています[7]。この電力を使いグリーン水素生産を行うシステムや今後地方で広がる小規模分散型発電所と蓄電設備関連とのセットの最適システムもまだない状態です。送配電と貯蔵、維持管理、保全保障などの統合マイクログリッドシステムをどうするか、またこの拡大連携による広域地域変動吸収システム構築も急がれます。需要家側でのピークシフトシステム構築も無論必要。小さなグリッド内では、第2部で紹介する群馬県上野村のような、太陽光発電と木質バイオマス熱電併給と蓄電池、EV車充放電によるシステム構築は比較的容易で、近い将来複数マイクログリットの統合拡大システム運用も始まりますが、高い電力託送費も課題です。後は気象予測の高精度化による需給バランスを取るシステムも考えられています。水素燃料電池もありますが、普及は期待する水素燃料活用には時間を要するでしょう。これを含め、まだ実用には時間が掛かる案件もありますが、上記は可能な限り早く導入することが望まれます。

政府は脱炭素を目指し、2021年に「2030年温室効果ガス排出量を2013年度比46％削減、2050年カーボンニュートラル」と「地域脱炭素ロードマップ」を決めました。環境省は地域課題を解決し地方創生

---

*7 出所:日本経済新聞社　2022年3月22日より

に有効な脱炭素化に国全体で取り組み、2030年までに脱炭素先行地域モデルを100カ所以上創出する「脱炭素先行地域づくり事業」や一定量以上の再エネ発電設備を導入する事業を助成する「重点対策加速化事業」などを進めています。エネルギー、温暖化対策関連の新事業は、他省庁を含め68件もあります。46％削減するには、エネルギー起源$CO_2$の家庭で66％、業務関連は51％、運輸35％、産業38％と各部門削減目標も出されました。しかし46％削減の達成はそう容易ではありません。

　そして国策の**図－4**のような「2050年までに二酸化炭素排出実質ゼロ：ネットカーボンゼロ[*8]」に応じて、ゼロカーボンシティを宣言した自治体は2023年までで都道府県、特別区、市町村の合計は991自治体、全自治体の約半数弱。宣言はしたものの具体的行動、対応をするには何をしたら良いかがよく分からないという声も多くあります。

　環境省元事務次官中井氏はよく**図－5**を示し脱炭素化社会への移行は「社会変革」と講演されていました。「社会変化の持続、環境と経済・

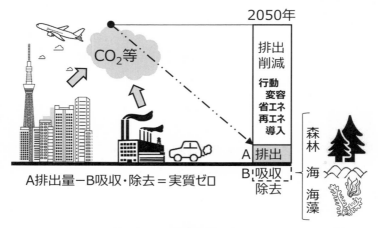

**図－4　2050年までに二酸化炭素排出実質ゼロ：ネットカーボンゼロ**

*8　「排出を全体としてゼロ」というのは、二酸化炭素をはじめとする温室効果ガスの人為的「排出量」から、自然・植林、森林管理などによる人為的「吸収・除去量」を差し引いて、合計を実質的に中和ゼロにすることを意味する。環境省ポータルサイトに加筆

社会問題の同時解決」の実現が重要とありますが、自治体にとっては重く、具体的には知恵の要る難しい課題です。

　国際連合締約会議で世界の気温上昇を 2050 年までに温室効果ガス排出量ゼロとするまで後 26 年しかなく、現時点では排出許容可能な温室効果ガス量（炭素予算[*9]）は 2,750 億 t しか残っていません。2022 年の世界の温室効果ガス排出量は約 413 億 t（$CO_2$ 換算）と過去最高であり、このままでは今から 7 年内外で予算を使い切り被害が激甚化、頻発化し悲惨な事態が予測されます。もう時間が無いにもかかわらず未だに将来の深刻な事態を考えず経済重視をする方が多く、温暖化に無関心、危機意識を持たないのんきな政治家、経済人、人々が居る日本風土に変質しています。日本の国別温室効果ガス排出量は世界第 5 位にもかかわらず、6 割強の国民が気候変動、温暖化に関心が薄いという国の調査もあります。

　今後、炭素を含まないか少ない自然・再生可能エネルギーへの移行は必須。その転換で初めて永続的に電気、冷暖房、車の走行、生産設

2050年カーボンニュートラルは

「一種の社会変革」

社会全体の変化を「持続」

させていくことでしか達成出来ない

変化を持続して高見に登るためには、
**皆が何らかのメリット**を得る、すなわち

環境問題と経済・社会問題の
「同時解決」

を実現することが不可欠

**図−5　脱炭素は環境・経済・社会の課題　同時解決による地域循環共生圏**

出所：環境省元事務次官中井徳太郎氏講演資料より

＊9　人間活動を起源とする気候変動による地球の気温上昇を一定のレベルに抑える場合に想定される、温室効果ガスの累積排出量（過去の排出量と将来の排出量の合計）の上限値をいう。カーボンバジェットと同義語。

備の動力、情報伝達等などを行える世界になるのが「脱炭素化社会」と考え行動するのが国民の義務ではないでしょうか。

エネルギーは社会のあらゆる側面に関係し、転換が遅れると泣きをみるのは多くの子供達、将来世代です。最悪のケースはマンモスや恐竜が絶滅した如く、人間も地球上から消え去るほどと言い過ぎる声すら聞かれます。

脱炭素化は自治体や企業での経営に必要不可欠です。大手一部企業では『SBT（Science Based Targets）』*10 事務局へ科学的根拠に基づいた温室効果ガス排出削減目標を申請、認定後はその進捗状況を毎年開示し、地域と一体となり活動する持続可能な企業であり地域貢献も行い、社会へアピールする企業が増えています。それが企業、自治体含め社会的存在や社会的価値を示すからです。企業も行政も事業の再エネ100％の『RE100』での事業活動を宣言、実行するなどへの取り組みは、顧客のみならずESG投資、地域にも大きな影響力があることを認識いただきたいと思います。2024年度に企業の温暖化ガス排出量の開示が義務づけられ、次は何らかの税制措置も加わるかも知れない時代です。これは2040年世界の平均気温が1.5℃上昇と予測され、1870年以降からの累積 $CO_2$ 排出量を2,900ギガトン（Gt）以内にするには、2012年以降の累計排出量は1,000Gt以内に抑える必要があります。それは既に、2011年までに1,900Gt排出済みだからです。

## 「温暖化と21世紀」

1914年からの第一次世界大戦は1,600万人の死者を出し1918年終戦。その翌年に、戦災の反省より国際連盟が設立されました。

しかし、死者約5,500万人の第二次世界大戦を防ぐことが出来なかった反省より改め大戦終了の1945年に国際連合を設立し、その国連憲

---

*10 SBT（Science Based Targets：科学にもとづく目標設定）とは パリ協定が求める水準と整合した、5年〜10年先を目標年として企業が設定する温室効果ガス排出削減目標のこと。世界の四つの機関が共同運営し、SBTの要件は五つあり厳しい目標が求められ、申請費用も必要である。日本の認定企業数は2022年末で350社。詳しくは環境省の脱炭素ポータルを参照。

章には、「国際平和・安全の維持、経済的・社会的・文化的・人道的な国際問題」などの解決を掲げたのです。設立以来どうにかこうにかここまで大戦も無く、多くの課題を抱えながらも約1世紀弱が経ちました。

　ところが21世紀に入り、考えもしなかった地球全体での課題「①温室効果ガスによる温暖化」とそれによる大災害が出現、加えて同時に経済も過剰なグローバル化等から「②弱肉強食、過剰収奪、格差拡大」を招き精神を病む4億もの人を世界で生み、権威主義者による、「③地域武力紛争や戦争」も勃発しています。それらは途方もない「世界三大複合危機」となりました。さらに、金正恩、習近平、トランプらの言動は世界に分断と不協和音を響かせ世界での不安定な状態を加速させています。

　追い打ちを掛けたのが、新型コロナウイルス感染症「④パンデミック」です。第二次世界大戦は3年9カ月で終結しましたが、それを超える第10波を迎え、ワクチン接種も何と7回目となり、世界保健機関（WHO）が2023年5月に全世界の死者は推計1,500万人と発表しました。もう一つは世界人口も第二次世界大戦後の3倍強の80億人となる「⑤人口の爆発的増加」で、三大ではなく「五大世界共通複合危機」を招き、出口の見えない混迷混沌の坩堝に落ち込んでいます。そのすべてに、エネルギーは何らかの形で絡んでいるのです。

　一部の人々が温暖化を意識し始めたのは、たった40年前の1980年頃からです。今では温暖化は自然破壊、インフラ被害どころか国際政治、国家や食料安全保障にまで影響が及び、そのうえ地上や海中を問わず人類含めて生きとし生ける全生態系を壊し始めています。それは国家や企業や人類が「短期的な利益と悪しき効率性と利便性」などの一見すると「経済合理性」という勘違いに取り憑かれ、過剰な利益を追求し、その過程で野放図とも言える有限の化石燃料資源を使ってきた結果と考えます。人類の基盤であり住み処とも言えるたった一つの地球という生存環境基盤まで壊し、人類のみならず全生態系の存続を

も危機に晒しています。「人類は利潤と所有することに毒された廃人」と化してきていると言えるのではないでしょうか。これは「地球も世界も心も壊れ」始めている時代としか言いようがありません。

　これまでは温暖化の種々相関関係は明快には解けず、温暖化を科学者も過小に甘く考え、また多くは自然現象だから仕方ないというのが大勢でした。20世紀末で、漸く人間が関与しているかも知れないとなり、その長い間にも何もしてこなかった人類に、温暖化が襲いかかっています。これは全世界、全人類、特に先進国の人々が犯してきた過失で、しかも一国では問題を絶対解決し得ないことです。漸く原因が明確化し、今全人類が「温暖化との世界戦争」に入ったのです。温暖化の主犯は人間であり、企業活動と暮らしからの $CO_2$ などの温室効果ガス排出が元凶だと明らかになり、今では自分との戦い、人間の心の戦いともなり、人も企業も責任を取る責務が生じています。敵は温室効果ガスではないのです。

　それらを経済から包括し、2018年ノーベル経済学賞受賞のウィリアム・ノードハウス教授は、「つながってるけど、混み合いすぎで、対立ばかりの世界を解決する環境思想」が必要で、それは「グリーン経済学」だと書いています。そして大気、水、海洋は「世界人類、生物の共有財産（コモンズ）」で、その所有権は分割も、所有権主張もできないものだ。しかし温暖化ガスを排出し温暖化させた者には「効果的な規制をかけることは出来るとも書いています。経済的にはアメリカ政府試算では、「1t当たりの $CO_2$ 算出限界損害費用は約40ドル」とあります。市民には、なかなか排出量の特定は出来ず、責任を問えないとも書いています。しかし筆者としては、これからは税負担だけではなく、強く各家庭からの $CO_2$ 排出にも費用負担、行動規制などをもっと迫られるかも知れないと思いますが皆さんはどうお思いでしょうか。

　現状のままであれば、世界の成長、繁栄どころか、恒温動物の人間は、

基本体温プラス3度程度が限界で現状気候システム維持すらできない後戻り不可能な「不可逆的な環境破壊…テッピングポイント」となり、人類の命運、地球生物の淘汰衰退、地球社会の崩壊への正念場、分岐点にまで追い込まれることにもなりかねません。その恐れはグリーンランドや南極氷床や永久凍土の融解、アマゾンの森林枯渇と、数えきれぬ程の地域での乾燥、砂漠化森林火災などに表れています。いつどれほどの温暖化で不可逆となるか現時点予測は困難であり、さらなる気候変動メカニズムの解明に地球、人類の未来が委ねられているようです[*11]。起きうる可能性があるなら、しっかり頭に入れ行動、防止、予防準備をせねばならないことは確かでしょう。

　2020年、クリスティアナ・フィゲレス前国連気候変動枠組条約事務局長は、「我々が未来に影響力を行使できるのはあと10年しかない。恐ろしいことに2030年以降、我々は地球プロセスへの影響力を失い、その後は何をやっても大して意味を成さない。地球環境、地球温暖化は完全に制御不能に陥り、どんな手段を使っても無駄ということになる」と驚くほど厳しいと言うか恐ろしい警告を発しています。

　これを凌ぐため世界は「地球の脱炭素化」へとひたすら邁進するしか選択肢はなく、「人類は一蓮托生、運命共同体の意識を持ち団結しグローバル・コモンズにおける大地や水や海洋、森林などの地球社会の共有財産、そして気候や経済をも含めて複雑な管理維持への壮大な挑戦」をすることになると考えます。醜い奪い合い、争う時間などないと思いませんか。そして足下の地域では、脱炭素化事業を地域課題解決、社会・生活の質向上へと繋ぎ、官民一体、支え合いながら地域挙げての「幅広い総力戦」と思います。それがローカルコモンズ形成となります[*12]。

---

＊11　鬼頭昭雄著『異常気象と地球温暖化』岩波新書(2015年)を詳しくは参照されていただきたい。

＊12　筆者(竹林)編著『森林資源を活かした「グリーンリカバリー」』化学工業日報社(2021年4月)より76頁にわたりコモンズを記述、参照。

＊13　石油、天然ガス、石炭、薪、水力、原子力、風力、地熱、太陽光、牛糞など、自然から直接採取出来るエネルギー。それに対し、1次エネルギーを転換・加工することで得られる電力、都市ガス、ガソリン、灯油、軽油、重油、LPガス、熱などを2次エネルギーという。　出所:独立行政法人エネルギー・金属鉱物資源機構

地方には豊富な自然、再生可能エネルギー資源があるにもかかわらず、１次エネルギー*13 の輸入化石系燃料使用は９割、それによる発電量は約７割の日本は、世界より化石賞受賞と揶揄され、G7内でも炭素削減目標値が一番低いと指摘される情けない事態です。2023年UAE・ドバイでの国連国際会議でも「2030年度時点で総発電量の19％を石炭火力でまかなう予定で、廃止期限も工程表も公表していないことを批判」され２度目の化石賞をアメリカやロシアとともに受賞。これでは世界市場から早晩日本経済は排除され破綻すると心配です。

## 「脱炭素化はエネルギーと裏表」

　現代はこのコインが、社会のすべてを支配しているとすら言えるのではないでしょうか。新社会共通資本財*14 を創出するには、化石系エネルギーから自然、再生可能エネルギー系に転換する必要があります。これを核に豊かな「ちいきづくり、まちづくり」*15 が可能となるはずです。

　脱炭素社会形成は、地域経済、地域市民の安全と安心を持続させ、自然との多様な暮らしとなり、それらが誰一人取り残すことのない、いつもの普通の平穏で平凡だが充実した幸せを招いてくれるはずでしょう。そのためには自治体、企業、市民が情報を共有し、共同で、多様な知恵を出しあい、地域特性を活かした「地域共創」を図ることが地域を輝かせると信じています。そして国中で脱炭素を主軸に地域共創を図ることは、日本最大の産業振興への道を拓くのです。

　また現世代の我々大人自身が災害、大惨事を招いていることを今一度強く認識し、責任を取るべく行動をし、未来世代の将来、公平性を考え、非難の嵐を浴びる前に最大限の力を尽くしたいものです。

　日本は第二次世界大戦の敗戦後、急速な工業化を推し進め経済復興を遂げ経済成長しました。しかしその間の1960年代には水俣、北九州、

*14　第1部2−4節　図2−4−2「社会共通資本とSDGsは密接な関係」も参照。
*15　第1部2−4節　図2−4−3「地方創生「まち・ひと・しごと」＋SDGs」も参照。

四日市など各地で公害問題を頻発させてきました。しかし自動車排ガス公害を含め国、企業挙げて公害問題を解決克服し、逆に世界に環境先進国と称されるまでとなり、技術、環境立国日本と呼ばれ経済も世界一と一瞬光り輝いたのです。その反動か慢心からか無気力にもこの30年間の日本は、環境先進地域の座をEU（欧州連合）などに取って代わられあらゆる面で沈み込み停滞の時を過ごしてきました。

　少し経済にも明るい兆しが見え始めた今こそ、今一度世界に先駆け地球温暖化問題を解決し、それを梃子に脱炭素の都市や地域モデル、技術、システムなど、さらに山、森、川、海、里山、里海など豊かで多様な自然と観光、加えて社寺仏閣などを含めた幅広い日本文化に触れることのできる胸を張れるような再生日本の構築を加速させなければならないのでは。そしてそれらをアジアやアフリカなどで活かすべく、その国々の方々と共にその国に沿った考えで、共に公益的利益も企業の利潤も併せて成立するような事業形成の展開を目指す、今がそのまたとない日本復興の最後の機会の「脱炭素化社会形成」と覚悟を決めて行動するなら未来の形が見えてくるのではないでしょうか。

　それには先ず皆で、温暖化とは脱炭素化とはと何でも話し合うことが出発点。次に関連知識を得て、どう進めるか、実践、行動しつつ、また話し合い歩みを続けるのはどうでしょうか？基礎自治体は長期ビジョンをバックキャスティングで作成し、様々なハード、ソフトの知識を得て、地域内の啓発と合意形成やステークホルダーとの調整、グリーン金融など幅広く知識を使い、その実現に向けたストーリー作成、支援事業の選定をしていかねばなりません。脱炭素による地域づくりを自治体と市民や企業で連携推進するためには、複雑に絡み合う地域内外との利害調整、地域内企業でのサプライチェーン、業界立ち位置からの検討、配慮、勘案し、地域エネルギー事情や地域文化、風土といってもよいそれらをも併せて考え、道筋を明確にし、具体的な計画を策定し、事業成立手順と実施方策、その後の事業評価方法などへと脱炭素化への進め方を理解いただきたいものです。

本書が読者の脱炭素社会化への道に繋がると嬉しく、コンサルタント等の専門家への委託も必要でしょうが、脱炭素事業をマネージする市町村、企業が全体像を理解いただき、他者に任せきりにせず、自信を持ち地域や企業活動への主導力を発揮して取り組めるよう活用して欲しいと期待します。

　最後に、脱炭素の本質を探り考え、家庭の、企業の、地域での10年先、その先への視点で、足下から「行動、実行」することを望みます。その際に諸悪の根源は、化石燃料を無尽蔵にあると錯覚し適切に活用してこなかったことを肝に命じていただきたいと思います。ガソリン、電気、ガスの助成や数十年先に導入となる官民合わせ大型150兆円のグリーントランスフォーメーション（GX）*16 などは弥縫策、つぎはぎだらけ、バラマキの単なる産業政策としか言えません。5年、悪くとも10年以内に役立つ効果ある自然、再生可能なエネルギーの最大導入の一本に絞る本来のGXでなくてはいけないと思うのです。

　ここでもう一点、国の明確な目標と納得する政策遂行であれば、気候大戦ですから国民も数年の辛抱、我慢、忍耐をし、且つ全国民が叡智を集め討議、行動することは、無理なことでしょうか、それを政府は国民、経済界に問う気概も無いのですかと問いたい。

　我々は烈風に煽られ、灼熱の太陽に灼かれ、瀧の如き雨に溺れかかっているようです。そんな時代に、世界や人類が、深く会話し、つなぎあい、かばいあい助けあい、どう新しい脱炭素文明、地域文化の構築を諮るのかが問われていると考えます。

---

*16 GXとはGreen Transformation：グリーントランスフォーメーションの略。脱炭素社会への根幹政策と期待された政策。一言で言えば、ブラックな化石資源からグリーン（炭素クリーン）な資源活用社会に移行し、経済成長も図ろうというもの。

# 第1部

# 岐路に立つ人類

# 1. パリ協定（COP21）で 世界が一変

## 1−1. なぜ温暖化に、地球は沸騰の時代に

### （1）温室効果による地球

　温室効果がないと地球はマイナス18℃となり、氷に閉ざされ生物は生存出来ません。産業革命以前は温室効果ガス濃度が一定（約240ppm内外）であり平均気温は14度程度に保たれてきました。

　地球に原始人が現われたのが約600万年前、地球生誕の約45億年に較べ人類史は約0.1％強と短いものです。現世人類の先祖はわずか20万年前に過ぎず、人類は知恵を絞り懸命に1万年ほど前まで狩猟採集で、以降は牧畜、農耕を行いながら自然との共生文明を築き、安定した社会を築いてきました。そして産業革命以降の時代はわずか約250年間に過ぎず、地球の歴史の中でこの瞬きの間が良くも悪くも異常な時代となったのです。

　エネルギー面では、何万年も薪炭に依存し、この250年程、特に1950年以降は人口の急増とともに社会の利便性と経済の効果的な活動を求め、エネルギー密度の高い化石資源に転換、それにより二酸化炭素（$CO_2$）ガスなどを排出しながら「熱、光、動力、電力」を得て快適で効率的な産業社会を創出してきたかのような思い込みの時代でした。

### （2）過激な温室効果の主因は、$CO_2$大量排出

　極端ですが、近年の人の幸せは、お金と地下化石エネルギーと鉱物資源利用によるものでした。これまでの木材・水力と人牛馬などの筋

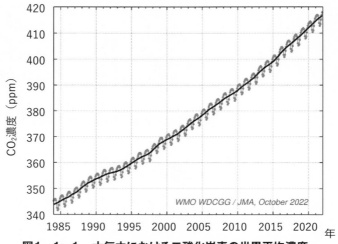

**図1-1-1　大気中における二酸化炭素の世界平均濃度**

濃度変化の二つの大きな特徴
・1年間の平均値比較では、濃度は経年増加
・1年の中で周期的な季節変動をする
出所：気象庁温室効果ガス Web 科学館　解析展示室3

| 今は人が地球に悪しき痕跡を残す<br>…人新世時代 | | |
|---|---|---|
| 人口の急激な増加 | | 経済の<br>急拡大GDP |
| 1800年前後　　約8億人 | | |
| 1950年 | 25億人 | 9.7兆＄ |
| 2023年 | 80億人 | 96.3兆＄ |
| 約220年間で | 10倍 | ― |
| 約70年間で | 3倍 | 10倍 |

エコロジカル
フットプリント

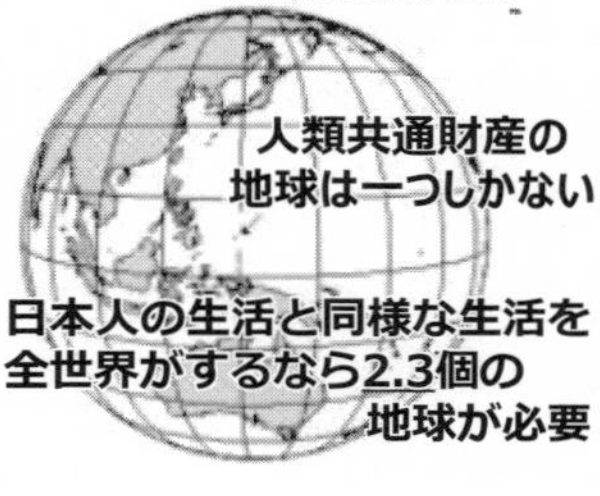

人類共通財産の
地球は一つしかない

日本人の生活と同様な生活を
全世界がするなら2.3個の
地球が必要

人口と経済の急拡大

生態系870万種の中のたった1種の人類が、**欲望**のままに生活、生産した
　　▶　結果、**温暖化へ**
気温上昇し、災害、生態系破壊、加えコロナ禍、紛争、膨張した経済の混乱で
　　▶　世界は大乱、　**複合危機に**
　　　　　人類は将来をどうするのか！？
　　▶　**脱炭素社会形成しかない！**

**図1-1-2　温暖化の元凶**

肉エネルギーから、皮肉にも気候温暖化やいずれ枯渇することにも気づかず、不安も感じずにひたすら化石エネルギー資源に依存してきました。

大量の無機化合物の $CO_2$ は植物や森林と海草などに吸収固定されてきました。この量と海洋での溶存量を大幅に超えると、吸収されなかった温室効果ガスは大気圏に滞留し、その濃度の高まりにより気温上昇を招き、地球はさらなる巨大で危険な温室と化し、世界平均気温が上がり続けていたのです。

温室効果ガスの大半は $CO_2$ ガスと水蒸気であり、蒸気は直ぐ消えますが、結合強度の高い $CO_2$ ガスの分解は光合成か電気分解によるしかないので大気圏に1千から数万年も滞留します（参考：フロン他のガス寿命は7 〜 109 年と短い）。そのため $CO_2$ ガス排出量の増加と共に濃度は上昇し、現在一挙に約 420ppm の最高濃度に達しているのです。

それにより極端異常気候を招き途方もない大災害を引き起こし、死者、農作物損失、構築物破壊、経済問題などと多様な損失を世界中で招き、大きな負の財産を残すはめに陥っています。

産業革命以降約2世紀半にわたり、「最初に」の**図−1**、**図−2**と関連しますが、**図1−1−1**に示すように 1985 年以降の $CO_2$ 濃度は35 年間で約 75ppm も増え、**図1−1−2**の如く人間の盛大な活動が地球を荒らし、踏みつけてきた結果、地球温暖化という重石を背負うはめになったのです。

## (3) 氷期（寒冷）と間氷期（温暖）の経年変化

① 過去 80 万年間は、4 〜 10 万年の周期で氷期（寒冷）と間氷期（温暖）を繰り返していました。

② 「最初に」の**図−1**の気候データは、日本の国立極地研究所も参加している「南極氷床アイスコア（約 3km 地下、直径 10cm の掘削氷柱）の採取調査」による証明可能な科学情報（地質学的、生物学的、

一例ではサンプル内の気泡や塵の解析で、当時の温暖化ガス濃度や雨量も判明）から明らかな34万年前から現在までの間で最も気温が高かったのは12万年前の間氷期と判りました。

③ 米国立環境予測センター観測データ分析から、2023年7月4日の地球全体の平均気温はついに温暖化許容範囲の1.5℃超えの17.18℃となり、これまでで一番暑い日となりました。これはワシントン・ポスト紙によると、「過去12万年間の地球史上で、最高気温と考えられる」とあります。

④ これを受けて国際連合（国連）事務総長グテーレスは「地球の温暖化の時代は終わり、地球沸騰の時代が到来した」と発表し、「再生可能エネルギー導入量の目標引き上げ」など、対策強化を訴えました。

なお、②、③、④は、2023年7月27日、国連の専門機関である世界気象機関（WMO）などの発表にもあります。一部EUのコペルニクス気候変動サービス、米国地質調査所の発表も含まれています。

その後上記のコペルニクス気候変動サービス、ヨーロッパ中期予報センターは「1.5℃」目標超えの日数は2023年が過去最多となり、11月はプラス2℃を上回る日もあり、1月から10月の世界平均気温は工業化以前に較べて1.43℃プラスの観測史上最も暑い年となったと発表しています。

## （4）気候極端現象出現

1.5℃以下の気候変動基準は瞬間的ながら破られ始め、ギリシャで47℃、シチリア49℃、カナダ50℃、アメリカ55℃に、日本の陸上平均気温もこの125年間で1.76℃も上昇し、最高41.1℃です。

日本を象徴する花と言えば桜です。大阪府立大学の調査では京都の桜の開花は1800年代が4月中旬、2000年代には4月初旬にとあり、さらに加速し近年は4月1日、3月26日と早まり、直に3月中旬となるでしょう。

表1−1−1　東京の夏日（25℃）の日数（2023年）

| 月 | 夏日 | 真夏日 | 猛暑日 | 夏日以上日数 |
|---|---|---|---|---|
| 3 | 1 | | | 1 |
| 4 | 1 | | | 1 |
| 5 | 10 | 2 | | 12 |
| 6 | 14 | 8 | | 22 |
| 7 | 2 | 16 | 13 | 31 |
| 8 | | 22 | 9 | 31 |
| 9 | 10 | 20 | | 30 |
| 10 | 11 | | | 11 |
| 11 | 3 | | | 3 |
| 合計 | 52 | 68 | 22 | 142 |

出所：気象庁　過去の気象データ検索より竹林作成
https://www.data.jma.go.jp

　表1−1−1に示すように、東京の夏日以上の日数は3月24日に始まり11月7日までの約8カ月間で142日、1年の約6割でした。30℃超えの真夏日も68日、35℃以上の猛暑日も22日を数え夏期は約5カ月と言えそうです。図1−1−3の2014年12月環境省・気象庁発表では、温暖化対応が遅れると、日本の2100年頃における真夏日は、現在より58日増えそうです。

　夏は30℃超えの高温期が長く体温並みの猛暑日が増え、冬の雪は雨に変わり大洪水も、降っても地域により量は激減か豪雨豪雪です。9月から11月は秋と呼んでいましたが、異常な高温続き、その翌日には15℃前後も気温が下がり急速に冷え寒暖差疲労で体調を崩すという夏と冬が同居するような日もあり、晴れていると思った30分後には急激に暗くなり雷鳴とともに豪雨に見舞われて右往左往しています。かと思えば、2023年11月の渇水により、琵琶湖の水位が72cm下がり、200m沖合の「奥の州」まで陸続きに、また有名な「浮御堂」も水面下の脚部が無様に現われ、取水制限も始まるおそれがあります。世界では、苛烈な干魃続きの地域が多く出始め、特に中東と欧州が深刻です。一方2万人の死者を出したリビアの洪水やパキスタンは国土

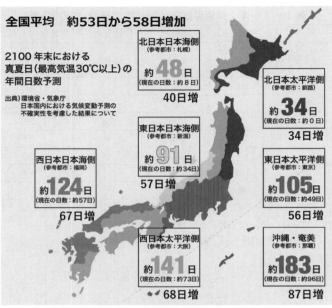

全国平均　約53日から58日増加

2100年末における
真夏日（最高気温30℃以上）の
年間日数予測

出典）環境省・気象庁
日本国内における気候変動予測の
不確実性を考慮した結果について

北日本日本海側
（参考都市：札幌）
約**48**日
（現在の日数：約8日）
40日増

北日本太平洋側
（参考都市：釧路）
約**34**日
（現在の日数：約0日）
34日増

東日本日本海側
（参考都市：新潟）
約**91**日
（現在の日数：約34日）
57日増

西日本日本海側
（参考都市：福岡）
約**124**日
（現在の日数：約57日）
67日増

東日本太平洋側
（参考都市：東京）
約**105**日
（現在の日数：約49日）
56日増

西日本太平洋側
（参考都市：大阪）
約**141**日
（現在の日数：約73日）
68日増

沖縄・奄美
（参考都市：那覇）
約**183**日
（現在の日数：約96日）
87日増

図1-1-3　温暖化対応の遅れは真夏日の増加

出所：囲み内日数は1981〜2010年観測平均値（気象庁「地球温暖化予想情報第9巻
　　　第2章P18の補正値）に対して、気象庁による2076〜2095年予測計算結果の
　　　増加日数

の3分の1が水没する洪水にも見舞われました。水は食糧問題に直結
し、飢餓のみならずアフリカでは気候難民、紛争を誘発しています。
大洋州のツバルでは、海面上昇によりオーストラリアへの移住協定を
結び、海上都市建設へという状況です。

　もはや四季は消えつつあり極端な大異常気象続きの事態です。米作
地帯は新潟などから北海道が米所に、紀州蜜柑は宮城蜜柑に、さらに
収量も大幅な減少となりそうです。カロリーベース食糧自給率38%
の日本は、世界的な食糧不足や、至るところでの飢饉、飢餓により輸
入も叶わない時期が来るでしょう。

　本当に食糧もエネルギーも無いない尽くしの日本は経済どころの話
ではないことを肝に命じ、今すぐに再エネ導入、農業を始めとする第
一次産業振興へ走る必要がありますが皆さんはどう考えますか。

日本の海はどうでしょうか。スーパーエルニーニョ現象は、地球平均気温を押し上げ、当然南方での海水面平均温度をも100年で1.24℃上昇させ30℃以上の猛烈、過酷、激烈な海面水温の酷暑？を招いています。日本への影響も大きく、南からの黒潮は大蛇行しつつ、太平洋側日本近海に沿ってゆっくりと流れています。2023年11月5日に気象庁発表の「日別海面水温図」では、福島沖から北海道千島列島に掛けての海水面水温は4〜6℃も平年を超えました。海の持つ熱容量は巨大で直ぐには海水温度は下がらず影響が大きく、日本が誇る旨い江戸前の寿司も高騰、死語と化し、口にすることも出来ないときが来るでしょう。北海道でも海洋熱波によりこれまでの18℃程度が21.8℃まで上がり15℃以下でしか生存出来ない鮭も不漁で、北の魚と南の魚が入れ替わり、その内すべての漁獲量も激減する恐れがあります。ラニーニョーに転換するなら日本の猛暑も多少落ち着く可能性がありますが、どうなるのでしょうか？

　まず温暖化の影響は**表1－1－2**「温暖化による被害」を見てくだ

**表1－1－2　温暖化による被害**

影響：気温がますます上昇　▶ 被害：拡大の一方、全世界共通

　温暖化対応が不十分な途上国は、さらに貧困や
　　　　　　　　飢餓にさらなる内戦や暴力的な紛争拡大へ

　温暖化が重要インフラや領土に及ぼす影響が
　　　　　　　国家安全保障問題に発展し、紛争、戦争へ

**この30年間、被害はますます拡大へ**
**人類/全生物/地球の破局的、破壊、破滅へ**

| 偏西風蛇行 | 干ばつ | 大洪水 |
|---|---|---|
| 巨大台風<br>竜巻 | 渇水・水不足・砂漠化<br>農作物・果物収穫減、飢饉 | 地滑り<br>土砂災害 |
| 大森林火災・ロシア2021年日本国土面積の半分 | | 家屋インフラ破壊<br>農地荒廃・飢餓 |
| 熱風・脱水症 | 海水温上昇・サンゴ白化 | |
| 雪渓消失<br>氷河消失崩壊 | 栽培適地や魚類生息域が変動<br>桜など早期開花 | 豪雪 |

加えて、日本は大災害列島「地震津波、火山災害」

さい。

　2019年までの50年間に世界で発生した災害は、「200万人を超える死者と4兆3,000億ドル（約600兆円）の経済損失をもたらし、死者の9割は途上国に暮らす人々」と2021年WMOは発表しました。また今後2030年までの間には、気候変動による損失と損害からの復旧にかかるコストは1,500億ドルから3,000億ドル（45兆円）に達する可能性がある＊1とされています。

　産業革命以前と較べ、わずか世界平均気温が1℃上がると降水量は7%増え、10%増えると洪水の確率は2倍になると予測されています。1.5℃を超えると50年に一度という高温は8.6倍に、また10年に一度という大雨の頻度も1.5倍になるとしています。さらに2℃上がると50年に一度の高温は13.9倍、10年に一度の大雨は1.7倍までになると予測。今でさえ死者数も経済損失額も惨憺たるものですが、この数倍以上の「悲惨壮絶」な事態となることに人類は耐えられるのでしょうか。**表1－1－3**は、文献からの筆者作成の「温暖化による心身への影響可能性」です。悪いことばかりであり、個人でも日頃から対

**表1－1－3　温暖化による心身への影響の可能性**

| 頭部：脳 | 熱を外気へ逃がすため脳は小さくなる？認知能力は下がる |
|---|---|
| 心：精神 | 気温が上がると体や精神的な暴力が増加。短絡的な問題解決に走る。動物も凶暴化する |
| 労働生産性 | 暑熱により労働時間損失が近年の2倍に。特に、屋外労働では影響が大きい |
| 栄養失調 | 干魃、洪水、害虫増で農作物生産減少により |
| 死亡率（65歳以上の方） | 今世紀半ば頃には、2014年までの20年間の4.7倍になる（世界的医学誌 ランセット） |
| 感染症 | 蚊の生息域が拡大し、マラリア、デング熱流行域の広域化。トコジラミ（南京虫）、脳喰いアメーバにも注意 |

＊1　国連気候金融に関する独立ハイレベル専門家グループ報告書より

表1−1−4　気温上昇を続けた場合の直接リスク

| | このまま気温が上昇を続けた場合のリスク |
|---|---|
| 1 | 高潮や沿岸部の洪水、海面上昇で健康障害や生計崩壊となる |
| 2 | 大都市部への内水氾濫による人々の健康障害や生計崩壊 |
| 3 | 極端な気象現象によるインフラ機能停止 |
| 4 | 熱波による死亡や疾病、伝染病被害 |
| 5 | 気温上昇や干魃による食料不足や食料安全保障問題 |
| 6 | 水資源の不足と質劣化は、農業生産減少、森林火災多発、長期化する |
| 7 | 陸域や淡水の生態系、生物多様性がもたらす、さまざまなサービの損失となる |
| 8 | 同じく海域の生態系、生物多様性への影響 |
| | 上記リスクは、温度上昇の度合いで、<br>さらにさまざまな影響を引き起こす可能性がある |
| イ | 暑熱や洪水など異常気象による被害が増加増大 |
| ロ | サンゴ礁や北極の海氷などのシステムに高いリスク |
| ハ | マラリアなど熱帯の感染症の拡大 |
| ニ | 作物の生産高が地域的に減少する |
| ホ | 利用可能な水が減少する |
| ヘ | 広い範囲で生物多様性の損失が起きる |
| ト | 大規模に氷床が損失し海面水位が上昇 |
| チ | 多くの種の絶滅リスク、世界の食料生産が危険にさらされるリスク |

出所：IPCC の第 5 次評価報告書

処を考える時代かも知れません。

　それらを指して、地質学的に言えば「人が地球に悪しき痕跡を残す人新世時代」と表しています。表1−1−4に、IPCC*2の第5次評価報告書による気温上昇を続けた場合の八つのリスクを示します。世界平均気温のわずか1℃強の上昇が大災害、損失をもたらすことを改めて自覚する必要があります。

## (5) 二酸化炭素による温室効果の発見

　アメリカの科学者ユーニス・ニュートン・フットは、「二酸化炭素

---

*2 IPCCとはIntergovernmental Panel on Climate Changeの略、国連と密接に関係した「気候変動に関する政府間パネル」と言い、気候変化に関する科学的な判断基準の提供、地球温暖化に関する科学的知見の集約と評価が主要な業務。設立は1988年。

は温室効果に大きく影響し、濃度が上がるとさらに加温される」と1827年に論文発表しました。1861年にはアイルランドのジョン・ティンダルが、「水蒸気やオゾン・メタンなども温室効果ガス」であると発表。この二つの発見から人間はその先を見通すことも出来ずに今日に至りました。なお、水蒸気は海面と川、湖、森林などを含めた陸面から蒸発する部分がほとんどで、人間の関与分は極めて少なく無視され、直ぐに雲となり、雨や雪などとなり、また地上へ降り注ぎ、全生物に大いに寄与します。それで、水蒸気は温暖化問題では関係なしとされています。

　地球は自然の摂理に従い、地球自らが廻る「自転」運動と、自転軸がすり鉢で味噌をする、またはコマが首振りをするような「歳差」運動、そして太陽の周囲を廻る「公転」運動をしています。これにより太陽から地球が受ける熱量の多少が生じます。同時に気温と地球周囲の $CO_2$ ガス濃度も緩やかに変動し、その変動は極めて回転運動のそれと類似しています。これにより長期スパンでも寒冷な「氷期」と温暖な「間氷期」という気候の揺らぎ変動を繰り返してきたのです。

　上記の運動については1930年頃に、セルビアの地球物理学者ミルティン・ミランコビッチは、地球の動きは**図1－1－4**のようになると発表しました。地球の「公転軌道は、円的と楕円的な周期変化」と「地球の自転軸が22度と24度の間で傾く緩急周期の変化」を、もう一点は「自転軸の歳差運動が1.8〜2.4万年の周期変化」の三つの回転周期変動をしており、それにより地球が受ける太陽からの「日射量（熱量）は、440〜540W/㎡」も周期的に変動する、これをミランコビッチ・サイクルと言います。簡単に言うと「約4万年の自転軸の傾き角の変動周期」と「すり漕ぎ運動による約2.6万年周期」に併せて約32万年前より、気温と $CO_2$ ガス濃度の変動が地球の気象に大きな影響を及ぼし、「寒冷期と温暖期」が生じ、その繰り返しが続いてきたのです。

　**図1－1－5**のように地球には、「太陽光、温室効果ガス、熱の吸

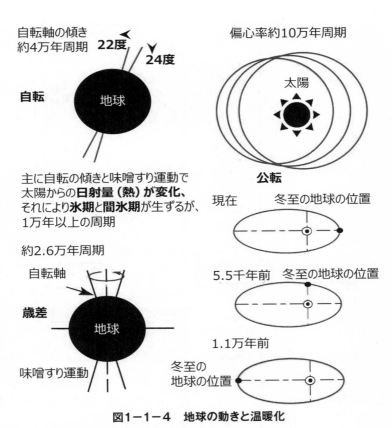

図1−1−4　地球の動きと温暖化

出所：日本天文学会「天文学辞典」に筆者加筆

収と再放射」の関係があり、産業革命以前の地球全体を覆う温室効果
ガス濃度は大きな増減もなく、熱の吸収と再放射のバランスもほぼ一
定で世界平均気温も14℃内外に保たれていたのです。これは「農耕
牧畜社会で人口も大変少なく、化石エネルギー不使用」の３点による
ものです。

　「$CO_2$濃度が高くなるほど気温が急上昇する点」と「ミランコビッチ・
サイクル」との二つが重なることで一層気温は上昇し、それに輪を掛
けて一段と1850年以降の「化石燃料からの急速、大量の$CO_2$ガス排
出量」が$CO_2$自然吸収量をはるかに超えていったのです。

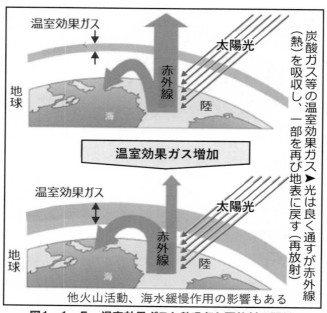

**図1－1－5　温室効果ガスと熱吸収と再放射の関係**

　このまま現在の生活様式や経済活動、政治を継続するなら、今世紀後半まで人類の繁栄を維持することはできない、と専門家や科学者は厳粛な警告を発しています。温暖化は人間が努力に努力を重ねて発明に励んで、幸せを求めてきたのに、なんとも悲しく、哀れで、滑稽としか言いようのない虚しさを感じさせます。

　今後自治体は、新しいまちづくりと自治体経営に、企業も科学的根拠に基づく脱炭素戦略を策定実行し、守りではなく攻めの事業転換を即時行うことが重要です。$CO_2$ ガスの約7割は産業・建設、エネルギー、運輸部門が占め、この部門では集中的、火急に $CO_2$ ガスの削減を急いで欲しいのです。

# 1-2. 温暖化は人類の責任、パリ協定「1.5℃の約束」

　温暖化のこれまでの経緯、背景、課題を良く理解し、温室効果ガスによる「温暖化は疑う余地がなく、避けて通れず」、「目をつぶってやり過ごす余地」がなく、脱炭素に真剣に取り組み、実行行動していただきたいのです。また環境省の国内外の最近の動向報告も併せてご覧ください。

　内閣府の気候変動に関する世論調査（2021年）では、パリ協定の言葉すら「知らない、聞いたことはある」、友達へ温暖化原因とその対応を話しても、「そうなの」と言われて終わり、そのような方が7, 8割にもなるとあります。また国立環境研究所の気候変動適応情報プラットフォーム（A-PLAT）の気候変動緩和と適応に係る国民の影響理解度調査（2022年）では、「どのように取り組むのかを知りたい」が約43％、「気候変動緩和適応の言葉も取り組みも知らなかった」が約55％、年代別では働き盛りの30～50歳代が20歳以下と60歳以上の方より知らないのは意外で問題と感じます。

　IGES＊3浅川マネージャーは「気候変動を深刻に捉えない日本の概ね28歳以下の世代（今後50年間に被害、損失を受ける世代）が、先進、途上の11カ国中もっとも多く、さらに9割強の若者が気候変動を話題としない」と2023年発表、これは学校で習い知っているが全く自分事としていないと言えます。これまでに多くの方々に温暖化、脱炭素化について話し、如何に状況は厳しく悲惨な事態を招きつつあるのか、今行動を起こしてと伝えてきたつもりですが、聴講者の間では未だに深い会話にはなっていないようです。

---

＊3 公益財団法人地球環境戦略研究機関。新たな地球文明のパラダイム構築を目指し、持続可能な開発のための革新的な政策手法や戦略づくりのための政策的・実践的研究を行い、その成果を様々な政策決定に具現化し、アジア太平洋地域の持続可能な開発の実現を図ることを目的とし、1998年3月に政府のイニシアティブと神奈川県の支援により設立された組織。

# （1）IPCCについて

　1985年頃より地球温暖化によるリスク、危機が徐々に認知され始め、1988年に気候変動に関する政府間パネル（IPCC）が設立されました。IPCCは世界の研究機関や数千人の科学者の専門的地球温暖化関連の知見を収集、討議、整理、評価を積み重ねて数年おきに報告書を発行しています。その報告書解説を自治体、企業、市民は正確に理解、認識し、話し合い、覚悟を持ち行動する必要があります。

　極簡略にまとめた**表1－2－1**「主な気候変動対応経緯」も参照し

**表1－2－1　主な気候変動対応経緯**

| 年度 | 主 な 活 動 |
|---|---|
| 1988 | 気候変動に関する政府間パネル（IPCC）設立 |
| 1992 | 国連会議「地球サミット」がリオデジャネイロで開催。「気候変動枠組条約」を採択 |
| 1995 | 第1回締約国会議（COP）がベルリンで開催 |
| 1997 | 第3回COP　京都開催、京都議定書決定 |
| 2007 | IPCC報告書で、地球温暖化は科学的根拠から見て疑う余地は無いとした |
| 2015 | 第21回COPのパリでは、「世界の気温上昇を産業革命と較べ2℃より充分低く保ち、1.5℃に抑える努力をする」目標を決定 |
| 2018 | IPCC、2030〜2052年の間に1.5℃に達する可能性が高いとしている　また温室効果ガスを毎年7.6％ずつ減らす必要があると発表 |
| 2021 | 8月IPCC報告書は、「温暖化は人間が原因」と断言と受け取れるもの。これを受けグテーレス国連事務総長は「これは人類への赤信号」だと10月第26回COPグラスゴーで、パリでの「1.5℃の努力目標」は事実上「1.5℃目標」にシフト。21世紀カーボンニュートラルとし、全世界が削減目標とその方策を見直し、強化対策提出と決定 |
| 2022 | 気候変動対策アクションキャンペーンが開始。今すぐ動こう、気温上昇を止めるために「1.5℃の約束」　COP27のカイロ会議開催冒頭に、グテーレス国連事務総長は、国際的な連帯と気候正義に関わる根本問題で、気候変動との闘いは2030年までに勝敗が決すると述べた |
| 2023 | 3月IPCCは、2030年までに2019年比で温室効果ガス排出を43％削減（$CO_2$は48％削減）　2035年までに60％削減（$CO_2$は65％削減）と明記　グテーレス総長は「気候変動の時限爆弾は刻々と進んでいる」とメッセージ。IPCCイ・フェソン議長も「これまでの対策の速度と規模では、気候変動を食い止めるためには不十分」と警告 |

てください。

　$CO_2$ ガス濃度推移、南極氷床の測定や解析から濃度は 280ppm 前後から 350ppm と 200 年間ほどで 1.26 倍、2023 年 3 月は約 420ppm になり、産業革命前濃度の 1.5 倍に急増しました。

　ここで 2022 年の温室効果ガス濃度の主因である世界のエネルギー起源国別 $CO_2$ 排出量を**図 1 － 2 － 1** で見ましょう。2022 年度は減るどころか、2020 年と較べ 51 億 t も跳ね上がる増加、結果 IEA[*4] 2023 年度報告では何とウクライナ侵攻の影響もありますが減るどころか 368 億 t と、過去最高となりました。2020 年度と較べると、見事にグローバルサウスと呼ばれる新興国が経済拡大と共に大幅に $CO_2$ 排出量を増やしています。温暖化貢献ワースト 15 では新興国が 4 カ国増え 8 カ国となり、先進国（オーストラリア、イギリス、フランス、イタリアなど）は脱炭素に力を入れ圏外へ去り、またドイツなど 4 カ国が順

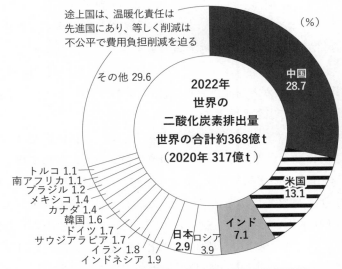

途上国は、温暖化責任は
先進国にあり、等しく削減は
不公平で費用負担削減を迫る

その他 29.6

2022年
世界の
二酸化炭素排出量
世界の合計約368億t
（2020年 317億t）

中国
28.7

米国
13.1

インド
7.1

ロシア
3.9

日本
2.9

インドネシア 1.9
イラン 1.8
サウジアラビア 1.7
ドイツ 1.7
韓国 1.6
カナダ 1.4
メキシコ 1.4
ブラジル 1.2
南アフリカ 1.1
トルコ 1.1

（%）

**図 1 － 2 － 1　世界国別エネルギー起源 $CO_2$ 排出量**

出典：IEA　2023 年 3 月発表資料より竹林作成

*4 IEA は International Energy Agency の略称、国際エネルギー機関と呼ばれる。1974 年に石油を中心としたエネルギーの安全保障を目指して、経済協力開発機構（OECD）の下部組織として設立国際エネルギー機関。

位を下げました。

　第5位の日本を含むワースト7カ国の排出合計量が世界の$CO_2$排出量の60％を、15カ国が70％を占めています。

　逆に最低排出の100カ国の総排出量比率はわずか3.4％、ほぼ日本と同量の有り様です。因みに国連環境計画（UNEP）[5]の2023年11月発表では、2022年度世界の温室効果ガス排出量は574億tと過去最高となっています。これを1.5℃抑制とするには、2030年約330億t、2035年に60％削減の約230億tに削減せねばならず絶望的とも感じます。

## （2）1992年リオデジャネイロ会議、2007年IPCC報告

　1992年ブラジル・リオデジャネイロでの「環境と開発に関する国連会議」（通称：地球サミット）が172カ国の代表が参加、116カ国の元首が出席して開催され、画期的な「気候変動枠組条約」が採択されました。具体的対応として、1994年「気候変動に関する国際連合枠組条約」が発効し、その締約会議の毎年開催（その後5年毎）も決まり、第1回は1995年ベルリンで、第3回は1997年京都で開催され、1990年比温室効果ガス削減達成目標は、わずか5％という低い数字が京都議定書として出されました。

　2007年IPCCはノーベル平和賞を受賞し、IPCC報告書では「温暖化は科学的に疑う余地がない」との国連の公式見解が初めて出されました。その後世界の平均気温は、産業革命前から2017年時点で約1.0℃上昇となり、2022年には1.15℃となったことも明らかとなりました。

　一方1990年代も今も、アメリカのトランプ前大統領のような政治家や科学者含めて一部の人が地球温暖化に懐疑的で、温暖化は地球の運動、太陽や火山の活動による自然要因によるものだとし、今は地球寒冷化サイクルに入る寸前などと、また最近でも「温暖化の嘘」など

*5 UNEPはUnited Nations Environment Planの略、国際連合環境計画と言われ、国際連合の機関として環境に関する諸活動の総合的な調整を行うとともに、新たな問題に対しての国際的協力を推進することを目的としている。

の書も出ています。様々なデータの真偽と取捨の見極めは大変慎重であることが必要ですが懐疑派は、この急激な $CO_2$ 濃度とリンクする気温上昇をどう解釈しているのでしょう。

## (3) 2015年第21回パリ会議（COP21）、温暖化主犯は人間

190カ国、1万人が参加、98カ国の首脳が出席したCOP21で、「世界の気温上昇を産業革命前と較べ2℃より充分低く保ち1.5℃以内に抑える努力をする」と歴史的な目標を定めました。

IPCCも2018年に「人為的活動による世界全体の平均気温の上昇は現在の度合いで温暖化が進行するなら、2030〜2052年の間に1.5℃に達する可能性が高い」と発表しました。

またUNEPは2018年末に「世界の温室効果ガスはこの10年平均で年1.5％ずつ増え、この排出量を抑えないと今世紀末の気温は産業革命前と比べて最大4℃近く上がり「破壊的な影響」が生じると警告し、地球温暖化対策の強化を世界各国に求め、COP21の努力目標1.5℃の上昇幅に抑えるためには排出量を不可能と思える年7.6％ずつ減らす必要があると指摘しました。

2021年IPCC報告では「人間が地球を温暖化させた」と断言、言い切り、報告者の一人は「これは厳然とした事実の表明だ、これ以上はないというくらい確かなことで、人間がこの惑星を温暖化させていることは明確で議論の余地がない」と述べています。

人間で言えば、表現が適切ではないかも知れませんが、メタボとなり減量もせず糖尿病に、飲酒を続け知らぬ間に肝臓癌に、気がつけばステージ4になっていたことと同じではないでしょうか。地球の健康には $CO_2$ ダイエット、禁あるいは断化石燃料が必要です。

## (4) 2021年第26回グラスゴー会議（COP26）と 2023年インドG20

　スコットランド・グラスゴーで開催されたCOP26は、パリの1.5℃努力目標は事実上「1.5℃目標」にシフト、努力や2℃の文言も消えたと言えます。また、21世紀半ばにはカーボンニュートラルとするとし、多くの先進国は途上国へ気候変動対策支援として早急に5年間、毎年総額1,000億ドルを途上国へ出資するなどとパリ協定ルールの大枠も決まりました。

　COP26を受け、東京の国連広報センターと約100の日本メディアは、2022年に「1.5℃の約束－いますぐ動こう、気温上昇を止めるために」というあまり知られていないキャンペーンも展開されています。

　また2023年、IPCCは、世界の平均気温の上昇を1.5度に抑えるためには温室効果ガスの排出量を「2019年比2030年には43％程度、2035年には60％程度、削減」する必要があるとしました。だが、早くもその2カ月後の5月には、WMOは「世界の年間の平均気温が産業革命前と較べて、1.5℃以上高くなる年が今後5年以内に起きる確率は66％」と発表されたが、その後直ぐに瞬間的ながら1.5℃を超え、温暖化は予想以上の猛スピードで悪化へと進んでいます。

　国連事務総長グテーレスは「過去半世紀の気温の上昇率はこの2000年間で最も高く、炭酸ガス濃度も少なくとも200万年ぶりに高い。気候変動の時限爆弾は刻々と進んでいる」、IPCCのイ・フェソン議長も「これまでの対策の速度と規模では、気候変動を食い止めるのは不十分」と警告しました。世界はどんどん窮地へと追い込まれていると言うか、不本意にも自らを追い込んでいるとすら言えそうです。

　世界各国は国連の場では気候温暖化ガス削減には概ね賛同はするものの、その実態行動は極めて政治的、資金的に難航し、既に温暖化ガス排出量削減施策は手遅れではと愚考するほどで、皆さんはどう感じていますか。

2023 年インドで開催された国際会議 G20 には、ロシア、中国の首脳が欠席のためか、再生可能エネルギーを「2030 年までにこれまでの３倍の設備容量にする」と曖昧な宣言を盛り込み、「途上国などが再エネに転換にする際に必要な資金支援の重要性」も強調されました。しかし温室効果ガスを世界の 80％ も排出する参加国や地域の首脳が集まりながら、更なる削減目標も話されず、これでは以前とそう変わらず進展があったとは言えないものでした。

　注目すべきは、開催国のインド・モディ首相が「我々は、先進国の犯した過ちの代償を支払っている」とグローバルサウスの声を代弁したことです。

　日本はここが正念場で、せめて国民すべてが**図１−２−２**「主要国別一人当たりエネルギー起源$CO_2$排出量」のなかの世界平均値にまで、温室効果ガス削減に意欲を持ち、実行し、安全安心な地域づくりをしたいもの、言葉を換えると、化石文明の炭素文明から脱炭素文明、再

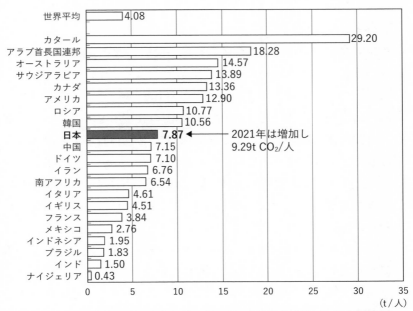

世界平均 4.08
カタール 29.20
アラブ首長国連邦 18.28
オーストラリア 14.57
サウジアラビア 13.89
カナダ 13.36
アメリカ 12.90
ロシア 10.77
韓国 10.56
**日本** 7.87 ← 2021年は増加し 9.29t $CO_2$/人
中国 7.15
ドイツ 7.10
イラン 6.76
南アフリカ 6.54
イタリア 4.61
イギリス 4.51
フランス 3.84
メキシコ 2.76
インドネシア 1.95
ブラジル 1.83
インド 1.50
ナイジェリア 0.43

(t／人)

**図１−２−２　主要国別一人当たりエネルギー起源$CO_2$排出量（2020年）**

エネ文明とも言える新世界社会構築を急がないと、と思うのです。

　しかしずるずるとこのまま、世界の $CO_2$ 排出量の 40％を占める中国、インド、ロシアが大量の $CO_2$ 排出削減を真剣に行わなければ絶望的と言わざるを得ません。

## 🍁（5）2023年ドバイ会議（COP28）

　ここでの特筆は、各国提出「脱炭素方策と削減量」を国連がまとめて結果発表しました。結論は各国公表の数値では地球の気温上昇を産業革命から 1.5℃以内に抑えるパリ協定の目標は達成出来ないとし、一段の取り組みが必要と各国や企業を促しました。合意文書には 1.1℃気温上昇と指摘したが、1.5℃までの猶予は 0.1 ～ 0.4℃しかないのです。それにもかかわらず中東産油国の反対により化石燃料使用廃止は消え、残念で曖昧な先進国と産油国や途上国との妥協の COP でした。COP28 の終幕に国連は「化石燃料時代は終わりの始まり」と総括しました。

　まとめますと、

① 拘束義務はないが、世界全体で再エネ発電容量を 2030 年までに現在の 3 倍、エネルギー効率を 2 倍にすることが 130 カ国で了承されました。そして IEA は 2050 年温暖化ガスネットゼロを達成するには、2030 年前半までで約 670 兆円の投資を必要とし、その多くは途上国に向かうとみられています。これは日本にとり大きな商機で、中国、ロシアに負けない展開を早くすることも課題です。

② およそ 10 年間で科学的知見に基づく公正な方法で化石燃料からの脱却を加速することに大産油地帯の中東諸国も合意したことは、驚きの採択でした。

　　しかし、化石燃料削減量、脱却の道筋、加速の度合いなどの数値的明記や段階的廃止時期には触れていません。

③ 2035 年に 2019 年比で 60％の温室効果ガスを減らす必要があると明記されたことは良かった点です。

また石油やガス会社計50社は2030年までにメタン排出を削減することも合意されたことを付け加えます。

# 1-3. 日本のエネルギー事情と再生可能エネルギー

　日本の平均年収（2020年）は韓国に抜かれ22位、2023年GDPはドイツに抜かれ4位、インドやロシアの後塵を拝するのも間近、一人当たり国内総生産は世界31位の見通しで、世界国際競争力35位と経済面は全く芳しくありません。これは、官民挙げて？の失策と言え、学習院大学小竹教授は、「先進国の窓際族で良いのか」と述べています。

　そして環境面でも1次エネルギーの大部分が化石燃料であり、石炭火力発電量、温室効果ガス排出量も多く、再生可能エネルギーへの転換も大幅に遅れ、これら含めて世界幸福度は、2023年度47位の二流国です。こんなにもランキングをあげつらうのは本意ではないが、いつの間にか眠りこけた兎になった今を皆で変えましょう。

## （1）エネルギーの消費と需要推移および基本的視点、課題ではエネルギーの今後はどうなるのか、考えてみましょう

　**図1-3-1**「最終エネルギー消費推移と各部門消費割合推移」を見ますと、1970年代の二度のオイルショックを経て1990年頃から2007年までは経済が停滞中であったにもかかわらず、消費量は4割増の右肩上がりでした。2007年から4年も続いたリーマンショックによる金融危機、中東での地政学的リスク要因から2007年、2008年と原油価格は100～140ドル／バレルの高騰となり、併せて2009年以降地球温暖化の明確な顕在化により日本もエネルギー効率上昇や省エネ活動が始まり、この3点が重なりエネルギー消費は減少へと向かったことが読み取れます。

　図中の折れ線グラフは1973～2021年までの実質GDP比率で約2.5

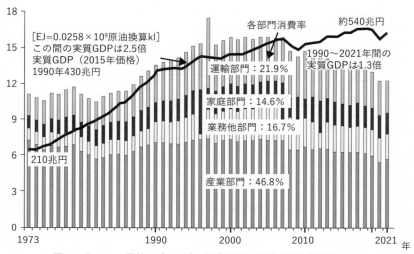

**図1－3－1　最終エネルギー消費推移と各部門消費割合推移**

出所：エネルギー白書 2023 より筆者加筆

倍（物価：1.1 倍）の伸びですが、世界平均の 8 倍（物価：2 倍）と比較すると経済停滞は誠に酷いものです。この停滞で脱炭素化、再エネ導入が欧米に大きく遅れを取ったのではないでしょうか。国民も企業も経済に目が行き温暖化への危機意識は頭の隅に追いやられていたとも言えそうです。本当は「環境産業と脱炭素化」への産業振興を30 年間続けていたら、経済も早く立ち直っていたでしょう。

　**図1－3－2**は国の「S + 3E 政策」です。この目標など至極真っ当ですが、具体的な数値や対応実施面では心許なく、「安全性」、「安定供給」、「経済効果」、「環境適合」も達成どころか世界に笑われている始末です。水、食糧と並び、エネルギーは国の安全保障の根幹をなすものです。

　次に今後、国の 1 次エネルギーの供給量や発電電力量想定はどうか**表1－3－1**で見てみます。2019 年と比べ 2030 年度想定値の 1 次エネルギー供給は－（マイナス）13％、発電電力量－ 9％、2050 年は－35％と約＋ 18％（参考モデル数値でしかない）です。1 次エネ供給

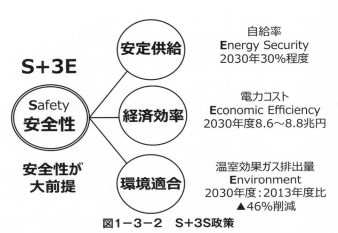

図1−3−2　S＋3S政策

出所：資源エネルギー庁 2021 年版日本が抱えているエネルギー問題より作成

表1−3−1　2030 年・2050 年1次エネルギー[*6]供給量と発電電力量の推定値

| 年度 | 人口推移 | 1次エネルギー供給 | 発電電力量 |
|---|---|---|---|
| 2019 | 1 億 2,616 万人 | 19,119（PJ）<br>49,376（万 kL） | 1 兆 210 億 kWh |
| 2022 | 1 億 2,494 万人 | 18,283<br>47,218 | 1 兆 82 億 kWh |
| 2030 | 1 億 1,913 万人　推定 | 16,650<br>43,000：− 13% | 9,340 億 kWh<br>− 9% |
| 2050 | 1 億 192 万人　推定 | 12,600<br>32,000：− 35% | 1 兆 2,000kWh<br>＋ 18% |

出所：エネルギー白書 2023、第 6 次エネルギー基本計画
　　　2030 年度におけるエネルギー需給見通し　資源エネルギー庁
　　　なお、2030 年度には省エネ量試算値は、約5,800万 kL
　　　また、2050 年数値は参考で、「2030 年・2050 年の脱炭素化に向けたモデル
　　　試算」より

量は、化学工業での使用量の大幅削減は厳しく、電力量も脱炭素電力
へ大幅に転換はすると思いますが、電化社会や DX、AI 等で一層の
情報化社会への移行で約 3 割増と推測され、一層の再エネ導入と機器
の効率上昇、省エネ化は重要課題と認識せねばなりません。これでは
省エネ、創エネ、機器効率上昇だけで実質ゼロ、ネットカーボンゼロ

*6 石油、天然ガス、石炭、薪、水力、原子力、風力、潮力、地熱、太陽光、牛糞など、自然から直接採取できるエネルギー。

が達成出来るのか皆で検討してみたいものです。

　なお、参考数値とした理由は国際政治、世界経済動向、エネルギー価格変動、技術開発動向、日本の種々状況の変化など不確実性から大幅に数値が変わると思われることからです。

　表１－３－２「2021年度１次エネルギー種類別供給源と電源構成比率」に示すように、１次エネルギーにおける再エネ自給率は13.6％に過ぎず、化石燃料が大量に使われています。電源構成も同様に「石炭と炭素の少ない天然ガス」の化石系使用比率が高く、再エネはわずかの20.3％です。

**表１－３－２　2021年度１次エネルギー種類別供給源と電源構成の比率**

| エネルギー種類 | １次エネ比率 | 電源構成比率 |
|---|---|---|
| 再生可能エネルギー | 13.6 | 20.3 |
| 原子力 | 3.2 | 6.9 |
| 天然ガス | 21.4 | **34.4** |
| 石炭 | 25.8 | **31.0** |
| 石油 | 36.0 | 7.4 |
| エネルギー自給率　％ | 13.6 | 20.3 |

出所：エネルギー白書2023　第２部エネルギー動向より

**表１－３－３　EU27カ国と日本の再エネ導入比率 (%)**

| 年度 | EU27カ国 | 日本 | 対象 | データ出所 |
|---|---|---|---|---|
| 2021 | — | 13.6 | １次エネ | 経産省発表 20231129 P5,6 |
| | — | 20.3 | 電源構成 | |
| | 38[*1] | — | | ISEP[*2] 20220404 |
| 2022 | — | 13.9 | １次エネ | 経産省発表 20231129 |
| | — | 21.7 | 電源構成 | |
| | 38.4 | — | | ISEP 20220905 |
| 2030目標 | — | 36〜38 | 電源構成 | 政府発表 |
| | 45 | — | | NEDO資料20220909 |

注）＊１　2021年のEU28カ国
　　＊２　環境エネルギー政策研究所レポート

また、**表１−３−３**「EU27 カ国と日本の再エネ導入比率」で分かるように 2022 年再生可能エネルギー電源比率では日本が 21.7％、EU27 カ国平均が 38.4％です。この数値は日本の約 1.8 倍となり、日本の 2030 年目標導入再生可能エネルギー電源構成の 38％を既に上回り、2030 年度導入目標も 7％多い 45％です。経済活動にも遅れ、エネルギー関係でも劣る日本は周回遅れと言わざるを得ず、これが日本の残念な現実です。

　世界では、途上国等の台頭により今後さらにエネルギーの大量消費時代に入ります。2018 年の世界エネルギー消費量は、1965 年と較べ約３倍でしたが、2040 年には 2014 年のさらに３割増しになると関西電力「世界のエネルギー事情」には書かれています。この数値は大変重く、増加分の大半は安価で、入手の容易な枯渇性の化石系エネルギーに向かい、その使用は途上国となる可能性が高いからです。日本はこれらのことを考え、一層再エネへ傾斜しなければいけないのですが、2022 年の化石燃料依存度は未だに 77％、輸入支払額は約 33 兆円と危機的状況でした。

　これは「コロナ禍」と「ロシアのウクライナ侵攻によるエネルギー高騰」、「化石燃料輸送網の破綻」などに加えて「日本の異常な低金利」と一挙に四つも重なり、為替も 150 円となり原油高の共振は凄まじいものでした。

　また政府は、その回避に原子力再導入にと傾いていますが、2022 年の原発設備利用率は何と 18.1％と原子力産業新聞は報じているほど低いものです。これは、わずかなトラブルでも直ぐ数カ月単位で運転休止する不安定な電力供給と、東日本大震災以降とても安心安全とは言えない原発の見直し、工事などから稼働率は下がっています。原発の安全性は火力発電の何倍となるかも覚束ないと考えます。原子力発電は安全、保安面、地元対策などにより更なる追加投資も増え、発電コストも上昇し、国民の理解も叶わないと考えます。政府は原子力発電を炭素中立、非化石エネルギーと称していますが、ウラン自身は再生

不能な有限の化石系エネルギーです。ウランの輸入移送、燃料転換生産、発電所等建設、汚染水と放射性廃棄物処理、最終埋め立て、廃炉などの上流から下流に至るライフサイクルでの「コスト」も馬鹿にならないのではと考えます。

　今後も紛争はアフリカ、中東でさらに増える可能性が高く、エネルギー購入、既に始まった紅海での輸送面で破綻の恐れ含めエネルギー「S+3E」政策を充分に考えておく必要があります。

## (2) エネルギー多消費産業の化学工業界 脱炭素対応事例

　これからの産業、取り分けエネルギー多消費型産業はどう生き延びていこうとしているか参考まで調べてみました。長年 $CO_2$ 排出最多の「鉄は国家なり」の鉄鋼部門は大転換期を迎えて様々な $CO_2$ 削減対応しており、それに関する多くの記事などが出ていますので、2番手の化学工業部門の脱炭素化を見ましょう。

　2021 年度産業部門からのエネルギー起源 $CO_2$ 排出量は 3 億 7,300万 t であり、その 39％（日本の総排出量の約 14％）を鉄鋼が占め、15％が化学部門でした。

　一般社団法人日本化学工業協会は、従来の 2030 年度 $CO_2$ 排出削減目標に 2013 年度比 10.7％減を 3 倍の「削減率 32％に大幅に引き上げる」と 2023 年 3 月に発表をしました。

　**図1−3−3**「化学工業における概略サプライチェーン」を見ながら脱炭素化への企業努力を見てください。素材系産業の化学工業は、有機系の石油、石炭、天然ガス、木材、そして無機系の鉄鉱石や硫黄などと多様な原料から化学反応により最終の医薬、農業、洗剤、繊維、ガラス、ゴム、プラスチックなどの産業と暮らしに直結する製品を提供しています。その生産原料は炭素リッチな化石系資源が多く、さらに化学物質の合成、分離、ナフサの分解などで 400 ～ 2,000℃の高温熱処理にと多大なエネルギーを使用しています。これらの脱炭素化の

ためのエネルギーとして、余剰再エネ利用のグリーン水素や熱需要の大きい200℃以下での木質燃料、バイオガス活用による熱利用やプロセスでの未利用排熱によるヒートポンプ活用も重要であり、電力では再生可能エネルギー活用は当然でしょう。

また視点を変え、産業分野全体にも言えるIoTによるエネルギーマネージメントも脱炭素化には大変役立つものと考えます。

具体的脱炭素関連活動事例として、

①三菱ケミカルHD：2050年温室効果ガス排出ゼロを宣言し、中間の2030年には海外含むグループ全体の排出量を2019年比29％削減とし、そのときの寄与度は外部要因を7割、内部要因3割としています。外部要因では電源構成改善によるもので電力$CO_2$排出係数が引き下がることを前提としています（例：$0.486kg\text{-}CO_2/kWh$ が $0.273kg\text{-}CO_2/kWh$）。しかしこれは人任せと言えそうです。

内部要因では、A．社内の製造段階の原単位改善、B．自助努力による自家発電用燃料のグリーン転換の2項を挙げ、このため2030年

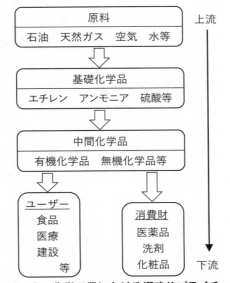

**図1－3－3　化学工業における概略サプライチェーン**

までに 1,000 億円の設備投資をするとしています。また、C．$CO_2$ 削減量を可視化し設備投資判断基準を作成、同時に政府に先駆け社内炭素取引（インターナルカーボンプライシング）制度を設けて削減を早めようとしています。D．$CO_2$ フリーの電力購入、E．バイオマスによるナフサ生産、F．$CO_2$ 資源化・水素・アンモニア、G．CS（炭素貯留）実装などの新技術導入を進めるようです。

②レゾナック・ホールディングス：やはり、A. 2050 年カーボンニュートラル実現表明、B. 2030 年度温室効果ガス 30％削減目標声明、C. 2030 年までに合理化、効率化、熱源転換を図る、D. 自家用火力発電の高効率ガスタービンコジェネ、$CO_2$ 排出量の少ない燃料転換等による削減を計画。2030 年以降は、E. 自家用発電燃料のアンモニアや水素への転換、CCUS（$CO_2$ 回収・利用、貯留）によるカーボンリサイクル、生産プロセスの電化を実施する方向で動いています。

既に川崎市臨海部で、使用済みプラスチックを荏原製作所のガス化炉により水素と CO、$CO_2$ を取り出しアンモニアを製造する実績を活かした事業展開も行うようです。さらに廃プラを油に戻してエチレンやプロピレン製造の技術確立を 2030 年達成を目指しています。

③積水化学工業＋住友化学＋資生堂：積水化学工業は分別されていない廃棄混合プラをレゾナック同様にガス化して水素と CO、$CO_2$ に分解し、そのガスを微生物により基礎化学品のエタノールへ変換します。それを原料に住友化学が米国技術を活用しエチレン、ポリオレフィンを生産し、そのポリオレフィンを積水化学工業が化石資源原料からの製品と同等品質の資生堂プラスチック化粧品容器を生産します。使用済み容器は回収され、また積水化学工業で循環再生するという試みを始めました。

プラ廃棄物は一般的には焼却処分され、$CO_2$ を大量に排出しますが、3 社のタグマッチによる脱炭素社会、サステナブル社会構築となります。

＊7 食塩などの陽イオンと陰イオンからなる塩で溶融状態にあるものや、固体塩を加熱し融解状態としたもの。

④同志社大学とダイキン工業：特定の金属塩化物と金属酸化物からなる高温の溶融塩*7に$CO_2$を投入し、電気分解を行いアセチレンの主原料であるカーバイドを合成し、このカーバイドと水を反応させアセチレンを生成します。この用途は、合成樹脂原料や溶接や金属切断用です。

将来的には、$CO_2$を大量に排出する火力発電所や製鉄所などに本技術を活用することで、大気に排出される$CO_2$の削減に貢献することが期待出来、今後は社会実装に向けて、製造プロセスやエンジニアリングの研究を進めるとしています。


日本が掲げる2050年実質カーボンゼロ社会を実現するには、再生可能エネルギーや水素など、あらゆる技術的な選択肢を考える必要があります。

中でも、「$CO_2$を資源と捉えて多様な有価物として再利用するカーボンリサイクル」は注目され、特に「水からグリーン水素を得て$CO_2$を原料に合成燃料*8」を生産する研究開発プロジェクトが多くあり、メタネーション*9も含めてエネルギー密度も高く、既設設備の利用も可能であり、$CO_2$リサイクル量の更なる利用拡大に貢献します。

化石燃料発電所でのこの技術利用は、排出$CO_2$の再度利用や安全な貯留設備も必要となり、燃料価格も300〜700円/L、ガソリンの2〜5倍と高い製造コストが課題です。さらに水から水素回収にはグリーンエネルギーが必要で、2035年前後に商用化出来るかどうかでしょう。

このように、化学業界はサプライチェーンにおける$CO_2$排出削減や原材料とエネルギーの転換を図っています。今後、グリーン市場の創出には再エネ導入は欠かすことが出来ず、「グリーン価値の見える化」が大きなポイントとなりつつあります。公共事業においても、少し高価格であってもグリーン製品を導入する時代に日本も漸くなって

*8 水と二酸化炭素を合成して製造される人工的な燃料。カーボンニュートラルの実現の切り札で、e-fuelとも言われる。
*9 これは 水素（$H_2$）と二酸化炭素（$CO_2$）を反応させてメタン（$CH_4$）を合成・製造する技術のことで、カーボンリサイクルの一つ。

来ています。

## （3）エネルギーと家庭

　家庭でもどのような脱炭素対応が可能か見てみましょう。その前に国の2030年度のこの部門の$CO_2$削減目標は、2013年比66％も削減せねばならないことを頭に入れておきましょう。家庭からの$CO_2$排出量は、容易に自分で算出、見える化出来ます。

　それには、環境省「中小規模事業者向けの脱炭素経営　算定編」のYouTube（環境省チャンネル「算定編　$CO_2$排出量を測ってみよう」）を参考にすると良いでしょう。簡単には、活動量（電気、ガス、燃料等の使用量）×排出係数[*10] ＝ $CO_2$排出量となります。

　**表１－３－４**「電気と燃料と上下水道の概略$CO_2$排出係数」を見てください（163頁、**図５－１－４**も参照）。

　**１．電気と上下水道**：東京電力のケースでは、1kWhの電気を使うと$CO_2$排出量は約0.451kgです。これが排出係数で、数値は電力供給会社と年度で異なります。上下水道は一般的には0.54kg-$CO_2$/㎥で、これも自治体、年度で変わり、再エネ導入が増えるとそれに応じて係数は低くなります。

　なお、現在FIT制度による「再エネ賦課金」をすべての方が支払っています。この支払金額は電気使用量に応じて変わり、単価は国が定め全国一律ですが年度でも変わる仕組みで、これまでは当初0.12〜3.36円/kWhと変動しています。初期投資が必要ですが、企業でも家庭でも省エネ化、節約、太陽光発電装置の設置がお金の節約になります。自社、家庭の再エネ電力ですべて賄うなら、賦課金は不要となり、かつ化石燃料価格変動に一喜一憂せずに暮らせます。

　筆者の二人住まいの戸建（134㎡）世帯では電気だけで年間約

---

[*10] 利用燃料の種類により$CO_2$の排出量は異なり、電力はkWh当たり、熱は熱量当たりのTJやGJ当たり表示で行い、$CO_2$排出原単位とも呼ぶ。電力会社は様々な燃料種を使い、その使用割合も、規模も、発電方式も異なるので、その数値は各社で大きく変わり、また、年度でも変化し大手各社では0.339〜0.535kg/kWhまでの差が出てくる。これは電力会社が一定の電力を作り出す際にどれだけの二酸化炭素を排出しているか実測による実績値で発表されている。

表1−3−4　電気と燃料と上下水道の概略$CO_2$排出係数

| 対象 | 排出係数 |
|---|---|
| 電気 | 0.451kg-$CO_2$/kWh |
| 都市ガス | 2.23kg-$CO_2$/m³ |
| LNG | 2.7kg-$CO_2$/kg |
| LPG | 3.0kg-$CO_2$/kg |
| LPG（プロパン） | 6.0kg-$CO_2$/m³ |
| 灯油 | 2.49kg-$CO_2$/L |
| 軽油 | 2.58kg-$CO_2$/L |
| ガソリン | 2.32kg-$CO_2$/L |
| 上下水道 | 0.54kg-$CO_2$/m³ |

4,100kWh 使用し、約 1.84t の $CO_2$ を排出していました。

　現在は屋根に太陽光発電容量 4.6kW を設置し、空調設備 4 基、2 部屋床暖房、照明は門灯、玄関灯に至るまで LED、長く過ごす 2 部屋は複層ガラス窓に変え、2022 年使用電力量の約 58％を化石燃料代替し実質排出 $CO_2$ 量も約 0.76t/ 年です。オール電化、夜間電力利用で光熱費は年間約 4 万円です。国の電力固定価格買い取り制度の FIT も終了に近づき、蓄電池の設置を決めました。ところが国産大手企業は 10kW で 250 万円、海外製は 150 万円と余りの差に驚き、競争力の無いことが残念です。

　また LDK34㎡には灯油ストーブを置き、暖房補助兼お湯や煮炊きに時折利用。年間約 170L 使用、$CO_2$ 排出量は 422kg、費用は約 2 万円、上下水道で 95kg、費用約 3.5 万円でした。総計 $CO_2$ 排出量は約 1.3t でした。

　地方の少し広い庭がある家庭では、わずかでも温暖化対応として貢献出来ることがあります。

　庭に掘った窪地に砂利を敷き、大量の雨が降った際は雨水が河川や下水道などへ一気に流れぬように雨水を地中に浸透させ水害リスクを少しでも低くさせる「雨庭」、植物生育空間「ビオトープ」、それらと

の関連で雨水を貯める「タンク」を設置することです。ビオトープは小さな水を貯める睡蓮鉢や陶器類、プランターなどの容器などに浮草、湿地生の植物と土を入れ、メダカやエビ、オタマジャクシなどを入れ生物多様性、景観、様々な草花、生き物の往来が楽しめるものです。全国でこのようなことの積み重ねが多くなれば、目に見えて温暖化対策となります。なお、人は呼吸で年間炭酸ガスを365kg吐き出し、世界での総合計は約29億t程度となります。

　２．**移動**：自家用乗用車、航空機、バスと鉄道とを比較した$CO_2$排出量は**図１－３－４**を見てください。１人が1km移動する際に排出する$CO_2$量は、自家用乗用車と比べてバスは半分、鉄道は７分の１です。ガソリンの$CO_2$排出係数は2.32kg-$CO_2$/Lで、家では小型ハイブリット車で年間約130Lしか使わず$CO_2$排出は302kg、支払いは2.5万円でした。

　やはり自動車の場合は、再生可能なエネルギーによる電気で電気自動車（EV）に乗るのが一番良いようです。**表１－３－５**「ガソリン車とEVの実効エネルギー効率」[11]を見てください。ガソリン車は投入エネルギーの約80％を浪費し、車輪を前に進めるために利用されるエネルギーはわずか約20％に過ぎません。

　それに対しEV車は、車推進力へ約90％、損失は約10％にしか過ぎません。**表１－３－６**は筆者が比較試算をしてみました。ガソリン車は、約1,130円は浪費分、実効分は約280円です。EVはミックス電力で、費用と$CO_2$排出量ともガソリン車の３分の１強です。グリーン電力であれば排出量はさらに小さくなります。

　３．**空調機**：家庭の消費電力の内訳で大きな割合を占めるのはエアコンで全電力の約30％強です。自分が「エアコン暖房設定温度を１度下げる」と言ったちょっとした行動に不満が皆さんにありますか。それだけで年間5.5カ月利用で、$CO_2$は24kg、電気量は53kWh減り、

*11　GIGAZIN（学者によるサイエンス、ソフトウエアなどの話題を扱うウェブサイト）の「イエール大学気候に関する広報サイト・Yale Climate Connections」、カリン・カーク氏によるガソリン車とEVのエネルギー効率比較より。

その料金は 1,650 円節約と東京電力「省エネ豆知識」にあります。

　また、AGC アメニテックは、高遮熱断熱 Low-E 複層ガラスを用いた 2 階建て住宅をモデルとして、これまでの冷房 26℃ を 28℃ に、暖房 22℃ を 20℃ に暮らしを変えると、冷暖房併せ年間消費電力量 33% の削減になるとシミュレーション発表しています。2℃ ではなく、わずか 1℃ の変更でも 17% 削減とあります。なお、一般的には設定温度

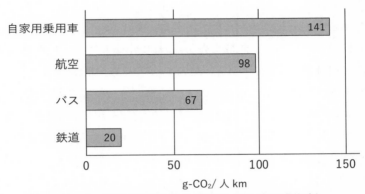

図1−3−4　輸送当たりの$CO_2$排出量（2016年度旅客）

出所：国土交通省　公共政策　エコ通勤実施のメリット

表1−3−5　ガソリン車とEVの実効エネルギー効率

|  | 投入エネルギー | 車推進力 | 損失 |
|---|---|---|---|
| ガソリン車 | 100% | 16〜25% | 75〜84%[*1] |
| EV車 | グリーン電力100 | 87〜91 | 9〜13[*2] |

*1　エネルギーロス、エンジン冷却、オーディオやライトなど
*2　充電ロス、駆動、冷却、暖房など電機部品などの合計は 31〜35%だが、ブレーキによる回生分が平均 22%あり、差し引き 9〜13%に過ぎない

表1−3−6　ガソリン車とEV車の比較

| 車種 | 燃料価格 | 走行距離／燃料 | 消費量 | 燃料費 | $CO_2$排出量 |
|---|---|---|---|---|---|
| ガソリン車 | 170円/L | 12km/L | 8.3L | 1,411円 | 19.3kg |
| EV車 | 35円/kWh | 8km/kWh | 14.2kWh | 497円 | 6.4kg |
| ガソリン車/EV車比 | | | | 2.8倍 | 3倍 |

注）燃料価格は、2022〜2023年頃の金額想定値、電力はミックス電力、つまり化石燃料由来と再エネ由来電力が混在するケースです。性能比較は100km走行時としました。

を1℃緩和でエアコン消費エネルギーは10%も削減可能です。

　このようなことを参考にチョイ手間を掛けるだけで自分にも社会にも役立つ喜びを覚えるのではないでしょうか。これが全国の家庭で実践されると$CO_2$削減量は膨大な数値となります。自治体はこのようなことを市民へ数字をもって説明、協力実行を求めることが重要で、それらにより脱炭素化社会へと変わっていきます。

　また、環境省は「家庭部門の$CO_2$排出実態統計調査」を発表しており、一度ウェブサイトにアクセスしてみてください。

　結果は2022年の1世帯当たり$CO_2$排出量は2.57tと年々減少し、その内訳は電気（3,950kWh）が66.9％を占め、都市ガス14.8％、LPガス5.8％、灯油12.5％でした。この4種だけの支払金額は約20万円、支払金額は前年比約1.3割増でした。先ずは排出量の7割近い電気使用量を減らすことが温暖化にも、家計にも優しく、努力が必要です。

　また、北海道と日本海側地域はエネルギー消費が多く、太平洋側が低く、集合住宅世帯は戸建より約4割少なく、当然ですが世帯類型別、世帯人数別でも、年間世帯収入別でも$CO_2$排出量は大きな差が出ます。

　そして、省エネ行動の実施世帯は、していない世帯と較べると1割以上$CO_2$排出量は減っています。


　企業も社員を含めサプライチェーン関係者へもこのような家庭での$CO_2$削減協力を要請しては如何でしょう。

　なお、特に企業では、サプライチェーン上流（スコープ3原材料仕入れなど）、自社（スコープ1直接排出、2間接排出）、下流（スコープ3販売）の全体での$CO_2$排出量とそのカーボンフットプリント[*12]を把握せねばならず、取り組みも算定も家庭より厳しく難しい局面に置かれることになります。それは温室効果ガス削減量を増やすことが世界での企業競争力を高めることへ繋がっているからです。

*12 製品やサービスにおいては、原料調達・生産・販売、提供やリサイクルまでのサプライチェーンの各プロセスで排出される温室効果ガスの排出量を$CO_2$換算（炭素の足跡）し、数値化したもので、個人や企業がその製品やサービスを消費、行動・活動利用する際に、どの製品、サービスの温室効果ガス排出量が多いか少ないかがわかる。

## （4） エネルギー問題による国民の痛み

　全世界の「1.5℃の約束」と「持続可能な社会実現」などに向けて日本も動き出しました。しかし同時に「戦争とエネ供給の破綻」により日本の産業部門の電気料金は1年で6割増し、家庭部門で3割増しとなり、世界的なLNG争奪戦でガス料金も約2倍となりました[*13]。JOGMEC[*14]ウェブサイト（2023年4月）では2022年世界原油価格が数カ月も100ドル/バレル、LNGも50ドル/100万Btuと2000年頃の2.5倍とあり、これが原因です。

　化石系エネルギー資源価格は高値の中で乱高下していることから、政府は補助（2023年8月廃止が2024年4月さらに6兆円を投じ夏まで延長）により、ガソリンの最高216円/Lを平均約170円から180円強に抑えてきました。この補助もある意味で化石燃料の一層の延命、業界補助、一時凌ぎで政策とは言えません。これは単なる痛め止めどころか適正対応を懸命に試みる人々、経営に水を差すことになります。この不安定な状況下、1970年代の二度のオイルショック同様の痛みが繰り返され、以前のような安価な価格には戻らないと想定し、根本的な対応政策を立て、国民も痛みを耐える覚悟と準備をするのが本筋です。それ故再エネ導入の火急大量導入を必死に何が何でも遂行せねばなりません。言葉や決意は捨て、今再エネ導入を実行、行動することです。なお、助成の総額は10兆円を超えました。

　国民、企業、自治体は未だに多額のエネルギー代金を連綿と海外へ払い続けています。**表1−3−7**に示すように、約1,200強もの自治体が、地域内総生産に対するエネルギー外部支払比率が5～10％という残念な事態です。北海道下川町は、エネルギー代の外部流出は年間約9億円、地域内総生産に占める比率は6.1％、滋賀県東近江市でも約294億円、比率は6.6％、鳥取市は人口18万人で282億円、1万

---

*13 エネルギー白書2023について　令和5年6月解説資料8頁
*14 独立行政法人エネルギー・金属鉱物資源機構

表1−3−7　地域内総生産に対するエネルギー代金比率

| 比率 | 自治体数 |
|---|---|
| 赤字額10％以上 | 約380 |
| **赤字額5〜10％** | **約1,220** |
| 赤字額0〜5％ | 約90 |
| 黒字 | 約100 |

出所：環境省資料他より、竹林作成

人の島根県邑南町は6.5億円を流出しています。また地域エネルギーの自給率30％以上はわずか17県と千葉大学倉坂教授は発表しています。

　この資金の地域外へ、最後は国外への流失は、特に地方において人口や労働力の減少化にも繋がり、財政状態にも大きく影響します。ですから地方自治体は地域内の豊富な再エネ資源を使い、電力と熱を生産し、地域内で産業活用や消費することが地域内経済循環と持続性を高め、それが脱炭素社会、安全、安心な地域づくりへの道筋となります。

　これを目指し、直ちに活力の湧く自然エネルギー、再生可能エネルギーに一層力を入れる政策を最優先し、最速で導入達成を成し遂げることが最も重要です。

　しかし未だに化石エネに依存、固執し、声も上げず、行動も起こさない人々、企業がいるのは不思議です。どう呼びかけ、声をあげ行動していただくかを考え行動せねばと思いますが。

　今のままの脱炭素化対応では、1.5℃に収まるとは思えません。エネルギーが少子化問題も経済的不安や地球温暖化にもすべて密接に関係影響し、エネルギー問題が同じ根っこに繋がっていることを多くの庶民は本能的、直感的、暗黙知的に感じ取り漠然とした将来への不安を抱えているはずですが、なぜかその方々も一歩再エネ、脱炭素社会へと踏み出せていません。もしかすると2070年前後に2〜4℃前後の気温上昇となり悲惨な目に遭うのは、今日生まれた赤子であり、現

在の若者が一番苦しむのに自分は関係ないとでも思っているのですか。これまでの中年以上の方々の業務遂行、経営方式、企業活動、自治体経営では解決はもう無理でしょう。経済へ大きく力点を傾け、環境や温暖化対策は片手間できた結果が今の惨状を生みだしており、その延長では変革は出来ないのです。

　未だに石炭火力延命、LNG 火力拡大、原発温存などとウランを含めた化石燃料資源輸入依存の体質で、エネルギーの安定供給は非常に危険な状態におかれている日本です。日本の第二次世界大戦開戦の一端は、アメリカの大不況対策とエネルギーを含めた資源の入手が狭められたことにあったとも言われていたはずです。エネルギーを自分の手に握り、生命を守らないといけないのがなぜ分からないか、同じ轍を踏みたくないと考えないのでしょう。


　ここでエネルギー資源の供給、再エネ転換、最終消費量も明確に国民も知っておく必要があり、2021 年度の日本のエネルギーバランスフローを図１－３－５に示します。先ず１次エネルギーは 18,670PJ、分かりにくいので原油換算では約 4.8 億 kL（L330 × W60 × H65 m程の超大型タンカー 1,500 隻相当）ものエネルギー資源を使っています。実際に活用されている分は１次エネルギーの 66%、残りの 34%は使用しやすく転換や移送などによる損失として消え、さらに最終エネルギーの約半分も、光や電気、熱、走行などでの損失です。従い、１次エネルギーの６割強は空へと消え去るので、自動車や電気器具他機器類の効率向上はとても大事です。

　2021 年グラスゴー COP26 では、各国提出の温暖化削減報告内容、目標数値は不十分で、このままでは世界の気温は 2100 年までに 2.7度上昇と予測され、グテーレス国連事務総長講演では、この「1.5 度目標」には「生命維持装置が必要」な状態だとまで述べました。改めて 2025 年に各国の地球温暖化ガス削減措置修正書の再提出としましたが、どこまで改善できるのかまったく怪しい限りです。

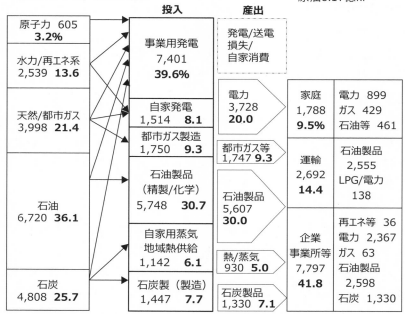

**図1－3－5　日本のエネルギーバランスフロー概要（2021年度）**

注1）本フロー図は、資源エネルギー庁『エネルギー白書2022』を基に竹林作成
　　（熱量単位：PJ…$10^{15}$J）

注2）概要を示すもので細かなものは表現していない、数字も概数

　このような事態を深く受け止め、国も自治体も企業も家庭も、仕事のやり方、暮らし方、移動、食べるものまでも含め様々な面で変わらざるを得ず、各自に責任があります。身近な食料は、二大課題を抱えています。一つ目は、世界では80億人を賄う約60億ｔの食糧を生産し、流通・貯蔵・加工、食品販売、最後の消費までの全プロセスからの食糧廃棄物は25億ｔに及び、その内の販売と消費からの食品ロス量は約10億ｔです。これは焼却や埋め立てされ、世界の年間$CO_2$排出量の約1割を占めること。二つ目は、約8億人が飢餓状態に、健康

的食事が得られない、飢えに苦しむ人口は3分の1にのぼります。参考、日本の小売店、飲食店、家庭からの食品ロス量は、2020年は522万t、一人当たり約40kgで、国は2030年まで半減を目指しています。個人、家庭でもCO$_2$削減のため、そして飢餓人口を減らすため、もっと行動変容が求められているのです。インドのモディ首相は途上国にも先進国の負債を負わせるのなら多額の資金を拠出せよと叫んでいます。この点でも日本国民は途上国支援で税負担をすることに耐える覚悟を持たなくてはいけません。

なお、2022年エジプト・カイロでのCOP27は、大きな成果が上がったとは考え難い状況で終わったことも追記しておきます。

## (5) 再生可能エネルギーへの転換、脱炭素対応

では日本はどう化石資源から再エネへ転換し、脱炭素へ向かっていけば良いのでしょうか。皆さんと一緒に考えるきっかけとなりそうな話を述べます。

我々はエネルギーダイエットの省電力省熱の実施、自然エネルギー系の太陽光や風力による変動型発電と木質発電のような再生可能エネルギー系での非変動型発電の混合導入、機器効率向上、様々な個所での断熱効果向上化などのエネルギー筋力アップが大変重要と考えます。

エネルギー源別に、自然エネルギー、再生可能エネルギーを見てみましょう。

### ①太陽光

これまで、全国の空き地、未利用荒れ地と建物への設置でしたが、可能な限り全国津々浦々でさらなる設置が必要です。例えば「新築の住宅、工場、倉庫、公共施設、商用ビル、商業施設の屋根や屋上、敷地」、「車庫、駐車場、バス・電車車庫、駅舎、空港施設、道路法面」、「ビニールハウス、農地でのソーラーシェアリング*15、耕作放棄地、ため池、

---

*15 農業用地に支柱を立てて上部空間に太陽光発電設備を設置し、農業を営みながら太陽光発電を行うシステム。全国で約1,000haの農地利用に過ぎず、これからに期待。

廃棄物埋め立て地」などと導入可能性はまだあると思います。

　今後導入を進める技術は桐蔭横浜大学宮坂教授発明の「薄く、シリコン型の 10 分の 1 と軽量で、曲面や塗布して利用」が出来、5 兆円産業となる「ペロブスカイト太陽光電池」です。窓ガラス、壁面、強度不足の屋根、車の屋根、大型橋梁などへ太陽光設備を貼り付けて発電することが可能で、大規模建設適地が少なくなる中での期待の新技術です。国はここへ十分な支援を行い、早期普及を一層図り世界のトップに立たねばなりません。現在、宮坂教授設立のペクセル・テクノロジー社との連携企業や積水化学工業、日揮 HD、東芝、パナソニック HD などで様々な実証試験と量産化へ向け動き出し、2025 年から 2028 年頃には量産化され、既存発電コスト水準以下の価格となりそうです。

　既にこのフイルム型太陽光電池を積水化学工業は大阪・堂島関電ビル外壁へ実装実証を開始。また東京電力などが東京・日比谷公園近傍で再開発街区のカーボンマイナスを目指し容量 1MW（1000kW）を 45 階ビル外壁へ設置すると発表しました。

　蛇足ですが、20 世紀末の日本は太陽光発電でトップを走っていたはずでしたが、本気で自然、再生エネルギー導入、普遍、汎用化、雇用促進など産業育成へ力を入れず、産業界の努力も足りず世界の後塵を拝して太陽光関連産業も凋落の一途、今では輸入品が 80％以上を占めています。

②風力

　出力 1 万 kW クラスでは、10ha の敷地面積が必要で建設費も 35 億円内外といわれる大型施設は、電力系統への接続、環境アセスメント、漁業権、近隣住民の同意取り付けなどの課題により完了工期は大幅に遅れ長い年月が必要です。またその適地も少なくなりつつあります。

　その点 1,000kW 以下の小型風力発電の生産建設を進めている山鋼プランテックは、1 基の出力 330kW（高さ 55 m、羽根の長さ 17 m）、建設用地 1,600㎡、土地含め 1.5 億円が標準価格と割高ですが、環境

アセスメントも緩やかで半年で建設可能、さらに歯車を使用しないメンテナンスも容易な構造という特徴を持ち、風況によりますが年間発電量は約 80 万 kWh、$CO_2$ 排出を 20 年間で 8,300t 以上抑制可能としています。風況が良ければ、太陽光発電の約 2 倍の効率であり、自治体、企業の ESG 経営・投資や SDGs による持続可能な脱炭素化には大いに役立つと考えられます。

　海に囲まれ浜より直ぐ深海へと続く日本は陸上型や洋上固定式より大型の洋上浮体式風力に力を入れるべきと考えます。太陽光発電の適地が減少し始めていますので、火急に浮体式洋上風力の技術開発、発電コスト低減に国を挙げて開発普及させることが、次の 2 - 1 節で述べる政府グリーントランスフォーメーション（GX）方策での投資すべき最優先案件の一つと考えます。2018 年に経済産業省から 2040 年までに 1 基 1 万 kW であれば 4,500 基建設の構想も出ていました。また政府は 2030 年度累積 1,800 万 kW を目指しますが、30 年ほど前からの数値を積み重ねても、2022 年度末の累積実績は 480 万 kW に過ぎません。

　領海を越え排他的経済水域まで広げ、洋上浮体式建設を視野に入れると目標達成と考えます。英国では主力電源として時には 50％近い洋上風力からの電力を供給しています。課題の一つは、最近大手企業も生産撤退を表明していることです。再エネ導入の大半を占める可能性があり、非常に重要な項目であるにもかかわらず、これは問題が大きいと言えます。国と一体となり GX 政策の中で不要、削減可能と考える技術開発費をここへ振り替え注ぐべきでしょう。その完成技術は、ペロブスカイト型太陽光発電とともに世界に大きく飛躍する可能性を持ち、一大産業となるはずと見ているのですが、現在大型風力発電設備メーカーは 1 社のみでどうなるのでしょうか。

③水力
　大型水力は、もうほぼ建設適地が無くリプレースで、中小規模は河川の他に、落差が取れるなら大型ビルや上下水道施設、農業用水路な

ども含めてまだ導入可能性はあり、自然エネルギー財団では、200万kWの容量があると報告しています。

④バイオ

バイオガスはこれまでメタンガスとも言われ、生ゴミ、蓄糞尿、下水生汚泥、栽培エネルギー作物などを源料としますが、あまり利用されていないのは残念です。どうせ処理しなければならない生ゴミ、汚泥は努力して収集活用すべきエネルギー源です。

フランス・リール市100台、イギリス・ブリストル市では70台、スウェーデンは100台からの大型バイオガスバスと電車が走っています。資源エネルギー庁（エネ庁）2022年レポート内に記載の『European Biogas Association』によれば、「欧州では現在30億㎥のバイオガスが生産されており、これを350億㎥に拡大するために、何と約800億ユーロ（12兆円）の投資を行い、約5,000の新規バイオガスプラントを建設する必要がある」と意欲溢れるものです。残念ながら、レポートの割にエネ庁は興味がないようで、これで少しでも再エネを増やそうとする熱意が見えず、原子力、石炭火力に傾いています。自治体行政では、ゴミ対策は大きな課題で、バイオガス処理利用転換は大きな脱炭素対策となり、特に30万都市クラス以上では検討に値する分野です。畜産関連などが盛んな地方都市でも生ゴミと併せエネルギー化すべきで、義務化を検討しても良いと思います。

木質バイオマス利用では、これまで2,000kW級発電規模以上の導入がほとんどですが、原料の多くは輸入木質系であり石炭、原油輸入と変わらず、国内では燃料の大量消費で原木入手も厳しく、大量に出過ぎる温水も使えないので大規模の建設は止め、電力と熱を使い切ることが肝の地産地消型小型分散木質バイオマスガス化熱電併給が最適です。**図１-３-６**を見てください。50kW発電で、年間30万kWhの発電量により90戸前後の電力を賄い、$CO_2$削減は135t/年です。また、熱利用率0.6として熱量用量52万kWh（184万MJ）／年で、ボイラー効率80%の灯油換算では約6.5万L／年相当で、$CO_2$削

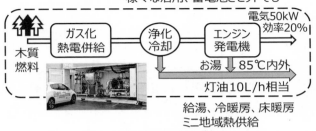

FIT販売、自己消費、防災対応と
様々な活用、蓄電池とセットでも

木質燃料 → ガス化熱電併給 → 浄化冷却 → エンジン発電機 → 電気50kW 効率20%

お湯 ↓ 85℃内外

灯油10L/h相当

給湯、冷暖房、床暖房
ミニ地域熱供給

**図1-3-6　小型木質ガス化熱電併給装置**

減は約 162t-CO$_2$/ 年です。年間 CO$_2$ 削減量は合計約 300t 強となります。15℃の水を 60℃のお湯にすると時間約 1.3t 供給可能です。他冷暖房も温室にも養殖にも活用出来ます。自然エネルギー系は、燃料代は不要ですが、太陽光は夜間は使えず稼働率が低く同時に熱回収は出来ません。そして、風力も風まかせです。稼働してしまえば、地元が関係する仕事はなくなり、経済循環は起こしにくい。木質バイオマスであれば、地元森林活用、自然生態系保全、燃料生産、運転維持管理などと雇用も、お金も入り経済循環となります。自然エネルギーと再生可能エネルギーは全く異なるもので、同列に扱う国は勘違いしていると言えます。

　お湯を使うことが採算性を大幅に上げ、総合エネルギー利用効率は 75％内外にもなり、熱をすべて利用すると電力の約 2 倍の炭酸ガス削減となります。大型燃焼による蒸気発電の効率は 35％内外、40％が限界で、熱利用もないため半分以上は排ガスとなり空へ拡散する木質燃料の無駄遣いで、しかも大量の木質燃料調達は海外購入が多く、購入コストも上がり倒産企業も出ています。国内でも材を求め 100km も大型トラックが走るケースもあり、地産地消分散型にはほど遠い。しかも法定点検では小 1 カ月停止します。

　藻は航空機燃料に使われそうですがまだまだの技術と考えます。なお世界 53 の空港で持続可能航空燃料（SAF）を使用しています。燃

1. パリ協定（COP21）で世界が一変　　63

料原料は、廃油やバイオマス廃棄物です。シンガポールでは、$CO_2$ 削減策として SAF 税を航空運賃への上乗せを 2026 年から施行します。

### ⑤温泉・地熱

温泉宿泊施設との調整、大規模地熱発電は環境や景観問題もあり、また有数の地震国なので活用へ向けよく検討し可能な限り採用したいものです。そして世界 3 位の地熱ポテンシャルがありますが、活用面では 10 位です。掘削面で大きなリスクがありますが、最近は民間企業による自走掘削機と小型パッケージ型システムでリスクを取り、コスト低減を図り地熱発電建設し、まちづくり貢献も行う動きも出ています。

日本にとり自然、再生エネルギー源は、豊富な大切な地域資源と言えます。地域、地形的、量的な点や防災対応も頭に入れ自立（律）分散設置し、北海道で起きた地震によるブラックアウト*16 での道全域の電力供給が停止するなどの様々なリスクを下げることは重要です。

現在、探査試掘リスクを下げる技術も進み、日本では反射法弾性波と従来技術を含めた系統的手法を確立している。またそのガイドブックも出されています。米国でも AI を活用した高精度の地質／地層／貯留層分析ソフトウエアも開発されています。

早急に、これらの新探査技術によりリスク低減、事業採算を高め地熱発電開発をせねばなりません。

---

*16 停電のこと。特に、発送電システム（発電・送電・変電・配電を併せた電力の供給システム）の全系崩壊を指す。2018年の北海道胆振東部地震で起きたのは有名。

# 2. 脱炭素による新しい社会

## 2-1. 温室効果ガス削減目標　2030年

　ここまでは「地球温暖化と脱炭素化」について、そして「それらについての世界と日本のこれまでや現状、課題」などを書いてきました。

　思いもよらない温暖化の巨大な脅威に現在は、世界中で温室効果ガス排出量の大幅削減を「約束・克服・行動」する時代です。

　それに対し、今後どう対応し、どのような行動が良いか探ってみましょう。

　1990年以降の日本の温室効果ガス排出量推移と関連事項を**表2-1-1**にまとめました。これと42ページの**図1-3-1**とは関連し、併せて見てください。2013年頃までは市民も企業も削減の意思があまりなく、経済の停滞期にもかかわらず、だらだらと温室効果ガスは増えてきたことが読み取れます。リーマンショックの影響で2010年だけは、温室効果ガスはわずかに減りましたが、すぐ2013年に元へ

**表2-1-1　日本の温室効果ガス排出量推移と関連事項**

| 年度 | 温室効果ガス排出量<br>（億t）$CO_2$換算 | 特記事項 |
|---|---|---|
| 1990 | 12.75 | 脱炭素削減基準年の一つ、IPCC<br>第1次評価書発表、COP設立 |
| 2000 | 13.78 | 市民、企業も温暖化に関心なし |
| 2010 | 13.02 | リーマンショックで0.76億t減 |
| **2013** | **14.08** | **日本の削減基準年、日本最高値** |
| **2019** | **11.61** | **世界目標削減基準年となりつつあり** |
| 2020 | 11.01 | コロナ禍で、減少 |
| 2021 | 11.22 | 増加に転じた |
| 2023 | | IPCCは、2019年比2030年43%、<br>2035年には60%削減要とした |

戻り最高排出量を記録しました。以降2015年辺りから企業も削減に力を入れ始め、新型コロナウイルス感染症禍もあり大幅減少となりましたがコロナも定常化し経済活動も復活すると、またもや増加に転じたのが2021年です。

　繰り返しますが、脱炭素化は国、自治体だけではなく、企業、市民も一丸となり行わない限り脱炭素化社会の形成とはなりません。それは一地域、単に再生エネルギー導入や様々な技術導入などの話に留まらず、幅広く広範な地域にまたがり、サプライチェーンにも影響を及ぼすことから、国や地球全体での課題ともなり、全人類が責任を問われ啓発実行を継続しなければカーボンゼロの実現は出来ません。

　1－2節でも触れましたがもう少し書き加えると、パリのCOP21では、先進、途上、後進国を問わず、世界すべての国が地球温暖化阻止に向けて「温室効果ガス排出削減策とその数値目標を決め、貢献案」を国連へ提出することが義務化されました。これが「パリ協定」での肝なのです。

　日本はイギリス[*17]に遅れること12年の2020年10月に菅首相が、突如「2050年に温室効果ガスの排出量を全体でゼロにする」と宣言し、翌年4月に従前の「2030年までに2013年比温室効果ガス削減目標26％削減」では2050年ゼロには届かないと「2013年比46％削減」へ修正発表しました。そして地球温暖化対策計画を閣議決定し、温室効果ガス削減目標は46％、エネルギー起源$CO_2$は45％削減と決め、さらに50％削減に向けて取り組みを強化するとも付け加えられています。一部企業では、敏感に科学的根拠のある目標設定を認定する世界の「SBT（Science Based Targets）認定」によるネットゼロという長期目標を目指し行動を開始しました。

　WMOは「世界の年間の平均気温が産業革命前と較べて、1.5℃以上高くなる年が今後5年以内に起きる確率は66％」と発表しました。

　**表2－1－2**の日本の2013年比の2030年排出量の7.6億t-$CO_2$は、

---

*17　イギリスは「2008年気候変動法」制定。削減目標を2050年までに温暖化ガス排出量を1990年比で80％削減と設定した。その後2019年に温暖化ガス排出量ネットゼロに変更。

IPCCの2019年温室効果ガス排出実績比で計算し直すと約37％強にしかならず、先進国と較べ約6％も劣り、2030年排出量は約6.9億t-CO$_2$にせねばならず、追加削減量は約0.7億t-CO$_2$上積みされます。参考までにシンクタンクClimate Action Tracker社は、日本の45％ではなく、2030年までに少なくとも2013年比62％の温室効果ガス削減を必要としています。

これとほぼ同時に、図2－1－1のような2030年度の電源構成目標も出されました。化石燃料をまだ41％も使用する考えですが、今から先ず石炭火力発電廃止とする修正が望まれます。なぜなら、2035年までに、電力部門のすべて、または大部分を脱炭素化と2023年のG7広島サミットで決まったのですから。原子力の割合も多く、とてもここまでの数値達成は危ういため、CO$_2$回収貯留型火力発電の化石燃料が増える恐れもありますが、再生可能エネルギーで補えるようにするのが筋です。また、省エネ量は6,200万kLと大きな数値目標が課せられ

表2－1－2　地球温暖化対策計画（2021年）による温室効果ガス削減目標と2019年温室効果ガス排出量実績

| 効果ガス排出量<br>（億t-CO$_2$） | | 2013年<br>排出実績 | 2030年<br>排出量 | 2013年比<br>削減率％ | 2019年<br>排出実績 |
|---|---|---|---|---|---|
| | | 14.08 | 7.60 | -46 | 12.10 |
| エネルギー起源CO$_2$ | | 12.35 | 6.77 | -45 | 10.29 |
| 部門別 | 産業 | 4.63 | 2.89 | -38 | 3.84 |
| | 業務他 | 2.38 | 1.16 | -51 | 1.93 |
| | 家庭 | 2.08 | 0.70 | -66 | 1.59 |
| | 運輸 | 2.24 | 1.46 | -35 | 2.06 |
| | エネルギー転換 | 1.06 | 0.56 | -47 | 0.87 |
| 非エネルギー起源CO$_2$、メタン、N$_2$O | | 1.34 | 1.15 | -14 | 1.28 |
| フロン類4ガス | | 0.39 | 0.22 | -44 | 0.55 |

出所：2013年、2019年度温室効果ガス排出量（環境省）
　　　2023年日本国温室効果ガスインベントリー報告書より作成
　　　及び2023年6月26日国内外の最近の動向報告書より
　　　但し、土地利用と土地利用変化、林業部門を除く

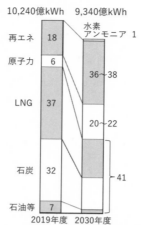

10,240億kWh    9,340億kWh

水素
アンモニア 1

再エネ　18

原子力　6

LNG　37    36〜38

20〜22

石炭　32    41

石油等　7

2019年度　2030年度

**図2−1−1　電源構成2030年度目標値**

注）数字はすべて程度

ており、現実的、達成可能な数値なのでしょうか。

　また、IPCC 第 6 次報告書が世界に要望する温室効果ガスと $CO_2$ ガス目標削減率は**表2−1−3**の通りで、2050 年までの数値も発表されています。日本は 2040 年の表明もなく、表中の 2035 年日本目標は G7 で迫られて 60％削減（2013 年比では 70％）となり、政府はこれを受け、再エネ導入促進のみならず「省エネ強化、電化促進、エネルギーデータ管理、制御様 DX 化」などのエネルギー消費削減への即刻な政策転

**表2−1−3　IPCCと日本の温室効果ガスとCO₂目標削減率**

| 基準年と温室効果とCO₂ガス | | 2030年 | 2035年 | 2040年 | 2050年 |
|---|---|---|---|---|---|
| IPCC<br>2019年比 | 温室効果ガス | 43% | 60 | 69 | 84 |
| | CO₂ガス | 48% | 65 | 80 | 99 |
| 日本*1<br>2019年比 | 温室効果ガス | 37.30% | 60*2 | — | — |
| | CO₂ガス | 34.20% | (66%) | — | — |
| 日本*3<br>2013年比 | 温室効果ガス | 46% | — | — | 80 |
| | CO₂ガス | 45% | — | — | — |

＊1　IPCC による世界への要請温室効果ガス削減基準年度
＊2　2023 年 G7 において、2019 年比削減目標 60％となった
＊3　日本政府案

換が必要ですが、その動きは見られません。国民も脱炭素に向け努力しなければ後12年しかなく、達成出来なければさらに国力も経済も落ち込んでいくでしょう。これからの「第7次エネルギー基本計画」策定作業には、上記を考慮し目標数値はどうなるでしょう。

## 2-2. 新エネルギー政策　日本版GX

### （1）GXによる温暖化対策

　温暖化対策に向けた GX（Green Transformation）は世界に広がり、欧米どころか韓国、中国などでも早々と取り組まれています。エネルギー供給が不安定で、脱炭素化に遅れている日本も、遅ればせながら再エネ大量導入の大型施策ではと期待された「日本版新政策 GX」でした。その方向性や狙いには、化石エネルギー中心の産業や社会構造をグリーンエネルギー利用へ転換自立させ、官民一体で「脱炭素成長型経済構造」へ移行するとする誠に良いものでした。

　しかし全くの期待外れ、石炭火力延命、アンモニア石炭混焼、既設旧炉原子力発電稼働延長、新規原子力発電建設、原子力新技術開発、$CO_2$ 貯蔵など、そして事業の大部分は大都市、一部大企業向けであり、一般市民、小規模自治体、中小企業の関われることは限られ、その上 GX を何とか 2023 年 G7 会合に間に合わせようと討議も不十分で、経済優先に捕らわれた裏付けも実行確度の検証もないと思われる単なる拙速願望の政策だとしか思えません。もっと言うなら、GX 政策所管官庁が経済産業省ならではのエネルギー関連などの大手企業と政党のためで、国民を置き去りにした経済寄りの政策と言えます。これは国家権力の資本への肩入れで、暮らしや中小企業へ顔が向いておらず、海外からは「グリーンウォッシュ」とも言われ、次頁の GX 人気を欠いたものでした。産業振興政策と再エネ政策を仕分けるのが本筋でしょう。

表2−2−1　主なGX分野投資額

| 投資分野 | 今後10年間の<br>官民投資額（兆円） |
|---|---|
| 水素・アンモニア | 7 |
| 蓄電池産業 | 7 |
| 鉄鋼業 | 3 |
| 化学産業 | 3 |
| セメント産業 | 1 |
| 紙パルプ産業 | 1 |
| **自動車産業** | **27** |
| 資源循環産業 | 2 |
| 住宅・建築物 | 14 |
| 脱炭素目的のデジタル投資 | 12 |
| 航空機産業 | 5 |
| 海事産業 | 3 |
| バイオものづくり | 3 |
| **再生可能エネルギー** | **20** |
| 次世代ネットワーク、調整力 | 6〜7 |
| **次世代革新炉** | **1** |
| 合成燃料 | 3 |
| CCS，CCUS | 4 |
| GX経済移行債発行 | 20 |
| 人への投資政策パッケージ | 1 |

出所：経済産業省「GX基本方針、GX実現に向けた基本方針参考資料、エネルギー白書2023年」

　投資金額は、10年間で官民併せて150兆円（国の「GX経済移行債」仮称、2024年3月に正式名は、クライメート・トランジション利付国債となる20兆円を含む）です。投資分野と投資額は**表2−2−1**に示します。残念ながら食料・農水産分野、地域・暮らし分野での目新しい項目もなく、付け足しのような地方やすべての国民の公平性を蔑ろにしたような政策です。ここで、日本政策の転換を迫られた2023年広島開催のG7での討議も知っておいた方が良いでしょう。

## (2) G7合意と日本の脱炭素

首脳宣言文書と会議での重要討議には、今後のエネルギー、GX を考える上で重要で無視できない課題の数々がありました。政府は、それを念頭に、GX 政策を再度精査、検討修正し脱炭素実務遂行に反映させる必要があると考えます。主な点は

① 日本の GX は、明確な数値目標や達成年度が曖昧

② 石炭と天然ガス火力発電の段階的廃止と石炭とアンモニア混焼も反対され、文書に記載されず、共同声明への「日本案の GX」の記載も遺憾となった

③ 「2035 年、2019 年比温室効果ガス削減目標 60％」に日本の目標変更

④ 「2035 年までに電力部門のすべて、または大部分を脱炭素化」

⑤ 2035 年までに乗用車の新車販売のすべてを電動化と自動車排出 $CO_2$ を 2035 年までに 2000 年比 50％削減する可能性に留意

**表2-2-2 2021年度電源構成実績と2030年度電源構成目標 (%)**

|  | 2021年度実績 | 2030年度目標 | 2035年度脱炭素化 |
|---|---|---|---|
| 水素アンモニア | 0 | 1 | 1 |
| 再エネ | 21 | 36〜38 | 77 |
| 原子力 | 7 | 20〜22 | 22と仮定 |
| LNG | 34 | 20 |  |
| 石炭 | 31 〔72〕 | 19 〔41〕 | 〔0〕 |
| 石油など | 7 | 2 |  |

出所：エネルギー白書 2023 より加筆

⑥ 人為起源メタン排出量を共同で 2020 年比、少なくとも 30％削減取り組み強化

⑦ カーボンクレジット市場における実施促進のため「十全性（質）の高い炭素市場の原則」を

という日本にはとてつもなくハードルの高い目標も合意事項として突きつけられました。これは「脱炭素化社会の早期実現」を目指すことが世界の先進国共通の理解となっているからです。

④の電力部門すべてでの脱炭素化は、現状のままでは如何に厳しいかを 2021 年度実績と 2030 年度電源構成目標数値との比較を**表２－２－２**で示します。2030 年度目標を達成したとしても、その５年後には化石燃料由来電源 41％をゼロに、原子力 22％を入れても再エネを 77％にせねばなりません。しかも 2021 年実績から考えるなら９年後の 2030 年度の政府電源構成達成すら覚束ない中、かなり厳しいと言うよりもほとんど不可能に思えます。

新政策 GX の課題を探ってみます。

## (3) GX課題

最初に全体的な課題を挙げます。

① 　一番の問題は、政策で「S+3E」と明記しながら、この観点がすっぽり抜け落ちている。海外の GX は、安定供給と速やかな脱炭素エネルギー転換が大目標で、開発事案も焦点がここに絞られ集中。それに較べ長期間を要する大型開発、それによる経済促進投資に偏っています。

　そして、エネルギー安全保障は、即気候安全保障（Climate Security）であることを忘れているようです。だからこそ火急に自然、再生可能エネルギーの大量導入が GX の大部分を占めなければならない。しかし、経済や研究開発が優先されている。産業技術総合研究所の歌川氏は「エネルギー起源 $CO_2$ 削減は、省エネと既存技術による再エネで９割以上可能」と筆者が関係する NPO 法人バイ

オマス産業社会ネットワークで講演されました。

② 直接の脱炭素化エネルギー分野投資が 20 兆円と少ないのは問題。自動車産業はこの約 1.4 倍の 27 兆円の最大投資額に加え自動車用蓄電池開発も 7 兆円別途計上、総計は 34 兆円。全国民が等しく確実に恩恵を受けるのは既存自然、再生エネルギーの早期、大量導入しかない。エンジン車、ハイブリット車にこだわりすぎ EV 転換、EV 対応に遅れた大手企業を優遇し過ぎ。業界にはもっと自助努力を望む。日本で EV を増やすが、充電する電気も化石系燃料由来、自動運転システム開発でも海外などに遅れるようではどうしょうもない。群馬県上野村のように再生可能エネルギー由来の電力生産が先。2030 年約 193 万器と言われている中で充電器も 15 万器に増やすのみで EV の増加台数とバランスが取れていない。

③ ものづくり関連では、「開発からデザイン、設計、部品購入、生産、販売、納入、使用、廃棄」このすべてにおいて一貫した最適なものづくり、高効率改革化の必要をと考える。このような改革システムマネージメント手法開発が検討されていない。

④ GX 債は、排出炭素に値付けし、$CO_2$ 排出抑制の動機付け、GX 関連事業促進や $CO_2$ 削減自助努力を狙う「カーボンプライシング」で償還するとある。大変良い方策と思うが、対象が化石エネの輸入事業者等に対してのみで、輸入化石燃料に由来する $CO_2$ 量に応じて、化石燃料賦課金を徴収し、そのお金で償還。しかし回り回って、国民が背負うものとなる。そのカーボンプライシング導入も 2028 年と遅く、その上課金対象には化石エネ利用の大量排出事業者を除外とする問題の多い中途半端なもの。全企業にカーボンプライシングを義務づけることが重要で、ゴミの排出者のすべてに何らかの処理費を負担させるのと同じこと。有害ゴミのガス排出者は責任義務を果たさなくてはいけない。

注力分野のなかには**表２－２－３**に示す、期待が持てる再生可能エ

表２−２−３　期待可能な再エネ技術

| 技術名 | 特　徴 | 他 |
|---|---|---|
| ペロブスカイト太陽発電 | 厚さ１mm以下／薄い軽い／湾曲可能／弱い光でも発電／壁やガラス車の屋根にも／発電コストは14円だが量産などで安価に | 宮坂教授発明。塗って乾かす方式も、原料はヨウ素安価 |
| 洋上浮体式風力発電 | 遠浅が少ない日本向き／潜在的には原発400基分といわれている／コスト６〜９円/kW目標 | 台風、津波対策要。台船を碇固定。戸田建設と欧米先行 |
| 人口原油 | 既存エンジン、ガソリンスタンドの活用可能まだ280円/Lと効果、実用は2040年頃 | $CO_2$とグリーン水素の合成 |
| 核融合発電 | 2050年には間に合わない。水素やヘリウムによる核融合反応利用。高温か高圧環境をつくることが課題。熱核融合炉ともいう | 日本も既に国際共同研究ITERに参加。環境面、安全面に優れている |

ネルギー技術開発もあり、ここへ投資額を増やすことが必要です。

　資金投入を止めるか、縮小した方が良いものを以下に記します。これからの脱炭素技術の採用条件は、原則「新技術ではなく、2035年程度までに、脱炭素に大きく役立つ安価で安全な効率の上がる既存ないし改良的自然・再生可能エネルギーの大量導入」で、これは国民すべてが納得するでしょう。脱炭素完遂にはもう時間がなく、十数年以上もかかる研究開発実用化を待つ余裕がないはずです。研究開発も必要ですから、プロジェクトを絞り、先ずは「2019年比温室効果ガス削減目標2030年43％、2035年60％達成と電力部門の脱炭素」に集中すべきでしょう。長期開発も必要で、核融合開発は、課題もあり反対も多いでしょうが検討に値すると考えます。

　他の原子力関連は、国民の導入に対するアレルギー、脱炭素に名を借りた多くの疑問、年月のかかる政策で、将来世代への責任の欠片も持ち合わせぬもので見直しては如何かと思います。

　ここからは個別課題についてです。

## １）投資１兆円の原子力関係

先ず東日本大震災後に原子力発電所の「新増設・建て替えを想定し

ない」としてきた政策までひっくり返し、原発を「将来にわたり持続的に建て替え活用、または次世代革新炉に建て替える」としました。

　もっと驚愕するのは老朽化原発の稼働期間延期認可も休止期間を含めずに40年を超え20年延長し60年間稼働可能としました。テロリズムはさておいても地震、津波も多く、海外とは違い自然災害の多い日本としては如何かと思います。既に再稼働審査合格は17基、今からでも33基すべて廃炉とするべきでしょう。地震、設備上・運転上でのトラブルや関連規制対応から原発の稼働率目標は70％ですが、これまでの平均は60％台[*18]と低く、アメリカやフィンランドの平均稼働率90％と大きな差があり維持保守を含め全般的に技術も劣っているのではと思います。資材、建設や安全対策でのコスト上昇で、発電単価は太陽などの再生可能エネルギーより高くなるでしょう。発電コストは、東京電力自身の発表でも10.35〜19.71円/kWhとされ[*19]火力発電の7.2〜12.2円、風力発電の9〜15円より高いのに延長するのはおかしいと考えます。

　さらに青森の核燃料再生処理の六ヶ所再処理工場の竣工やバックエンドの整備もする、と言っています。しかし六ヶ所は1993年に着工し、2020年までの積み上げ総工費は公表約14兆円、26回もの完成期日の延期、現在2024年完工としています。それ以上にプルトニュウムは核兵器転用も懸念され、技術やコストにも難があります。さらに驚きと言うか前代未聞、おかしなことにこの再処理後の高レベル核ゴミ最終処分地も無いのです。

　原子力発電は絶対安全と昔から言われ続けてきましたが、現実は全くかけ離れたものでした。どれだけ技術を入れ替え安全と言われても住民の不安は拭えず、いくら心配、臆病に構えてもコストが上がるだけです。

　次世代原発研究開発の推進とありますが、2040年でも間に合いそう

*18 独立行政法人経済産業研究所　戒能一成研究員　2009年12月9日-J-035 より
*19 東京電力福島第二1号〜4号機、柏崎1号〜7号機の設置許可申請書記載発電原価、原子力発電四季報　第26号2004年3月より

もない課題の多い革新小型軽水炉、高速炉、高温ガス炉などの開発建設に、1兆円が計上され、これまでの原子力政策手法からみてこの数字はいずれ増額され、10年後も継続するとみられています。小型、少額投資、工場で生産し現場組み立てで短工期、需要地に近接して建設可能を謳い文句にする30万kW規模以下の小型新軽水炉、通称モジュール原子炉（SMR）開発だけで、総額460億円を使う計画です。しかし世界で長年掛け57基もの開発が行われていますが、未だに実証稼働もしていないのがほとんどです[20]。今後の世界経済の拡大とIT機器増加、DX促進、生成AI普及拡大、人工知能活用などの情報通信（NTTグループ年間電力消費量：日本全体の1%）には大量の電力需要が数年以内に発生するからこそ、化石燃料に依存しない自然、再生可能エネルギーを早期に大量に準備しなければ経済にも影響するのです。早くもNTTと東京電力は共同の再生可能エネルギーで電力を賄うデータセンターを新たに立ち上げました。地方工業団地こそが自治体と民が共同で再エネによる「団地共同データセンター」を設置することもまちづくりともなります。大都会には再エネの源も原子力発電建設の覚悟もないのですから。

2040年以降の稼働予想の500〜1,000kWのマイクロ原発開発の三菱重工業、海外企業と提携の日立製作所が既に手がけている分野でもあり、市場に任せてもよいと言え支援は不要でしょう。

高速炉開発も1963年頃から行ってきましたが、トラブル続きで稼働もしなかった2号炉「もんじゅ」も廃炉となり、何と2016年まで半世紀余をかけ、試験目標の16%を達成したのみ、累計開発費は何と約1兆810億円の大失敗事業。この60年間の時間と膨大な資金投入の二の舞を恐れます。市民ももっと様々なエネルギーに関心を持ち、監視の目を光らせても良いのではないでしょうか。

また、以上の政策の幾つかは、一般の市民にも理解される客観的な説明、評価検証、いつ商用稼働かも明確にされていません。

*20 公益財団法人自然エネルギー財団　2021年5月コラムより

ついでながら松久保肇氏[21]は、非稼働原発含め 2011 年からの 10 年間で原子力関連に国民一人当たり約 20 万円の税負担を強いていると述べ、この総額は何と 24 兆円となります。これらのことから、膨大な政府資金が注がれてきた原発の除外は当然ではないでしょうか。まあ折り合いを付けるなら原発関連に注ぐ研究開発資金は核融合炉のみにする方がまだよく、それは核分裂ではなく核融合であり放射能値も低く廃棄物問題も少なく、2050 年頃に導入の可能性はありそうで研究開発は進めてもやむを得ないのではと考え、これ以外は即刻止めた方が良いと考えます。

　マグニチュード 7.6 の「令和 6 年能登半島地震」では、幸い稼働していなかった志賀原発（2 基合計定格電気出力約 190 万 kW）でも変圧器用油約 2 万 L の漏れ出しと使用済み核燃料プールの水が溢れ、設計想定の加速度を上回り所内にも地盤隆起沈降の形跡もあり、原子力規制委員会は再稼働審査が年単位で延長の可能性とあります。また珠洲市の今回の震央地で、3 大電力会社による 135 万 kW2 基の原発建設計画まであったほど杜撰なのが実態です。

　福島原発事故で、風が東京に向いていたらどうなっていたか、今後被害総額 1,000 兆円が想定される首都直下地震、南海トラフ巨大地震、千島海溝・日本海地震が 30 年以内に起きると想定され、近年は北朝鮮と韓国、中国と台湾との紛争でのミサイル攻撃も懸念され、再考し原子力関連はまともな議論を要します。少なくとも稼働延長、新増設は中止しては如何でしょう。

　GX とは別ですが、福島原発事故の処理終息までの総費用は、当初は 5 兆円、2013 年には 11 兆円、2016 年政府調査発表では約 22 兆円が現在で 23 兆円に膨らみ、日本経済研究所試算では 50 〜 70 兆円、負の投資の完全廃炉作業は 40 年以上の年月を必要という有り様です。負担は事業企業が多くを負うべきもので、仮に 20 兆円以上の資金があれば、どれ程自然、再生可能エネルギーの導入建設や改良型再エネ導入が早

*21 NPO法人原子力資料情報室　事務局長　環境と文明2023年5月,Vol.31,No.5 p9

く大量に出来たか、さらに北海道から東京までの三大電力会社を貫く
200万kWの高圧直流送電を可能とする連携線増強の約2兆円事業も
即実現したのにと考え込みます。原子力はSDG7エネルギーの安全安
心の範疇になく、使えるエネルギーとは言えないでしょう。日本では
この頭痛、心配の種を抱え続けるより再エネに集中することが良いと
考えます。

## 2）アンモニア、水素へ7兆円

水素への資金投入は必要事項です。最近神戸大学とパナソニックに
よる家庭の屋根でグリーン水素生産する装置の開発実用化研究が始ま
りました。完成は2035年、特殊な光触媒に太陽光を当て、水を水素と
酸素に分解し、水素をタンクへ貯め必要時に燃料電池で電力を得ます。
高額となるでしょうが夜間にも利用出来ます。安全面や太陽光発電と
リチウム蓄電池などとの組み合わせと比較するどうなるか、水素燃料
電池自動車と電気自動車など検討課題が多くあると思います。

水素の大量生産は2035年や2040年までの商用普及には間に合うか
どうかは今のところ不明と考えます。商業的には大手にしか関与出来
ず、貯留方式、高コスト、生産時に大量のエネルギー使用、供給網な
どと課題が多く、研究開発段階と見ています。なぜなら、水素自動車
に関してですが、2017年に政府が鳴り物入りで力を入れ、導入目標も
2020年で4万台導入が8,000台のみ、水素スタンド100カ所が73カ所
にしか設置されず、達成出来ませんでした。

化石燃料をベースとしてつくられた水素は「グレー水素」と呼ばれ
論外ですが、その水素生産過程で出る$CO_2$を貯留し再利用する水素は
ブルー水素と言われますが、全く好ましいものではありません。

また、グリーン水素輸入は石油輸入と変わらず安全供給保障とも相
容れず、難有りです。国産グリーン水素発電などの達成目標年度も明
確ではありません。そのまま使えるグリーン電力を使い水素を生産し、
また電気に変換する、非効率的なことをなぜするのでしょう？これを
避けるためにも、国産自然、再エネの導入が急がれます。余剰のカー

ボンフリーエネルギーを用いて水素生産し、化学製品関連、燃料など
に活用するのなら良いでしょう。

　最後に、石炭火力拡大ないし維持と思えるアンモニアの20%石炭混
焼などは即刻に投資を中止すべきです。アンモニアは石炭、天然ガス
から生産され、この価格に左右され、生産時に大量の$CO_2$を排出し、
アンモニアの80％は化学肥料用で、競合の可能性も大きな課題です。
もし$CO_2$を90％吸収可能なCCUSを導入するのであれば、アンモニ
ア混焼も世界的に認められますが、わざわざグリーンエネルギーを使
い高額なアンモニアを生産してまで行う意味は見出せません。2050年
の水素の早期商用利用を目指す研究開発に集中するのが妥当です。直
近では、地中にピュア水素が埋蔵されており、コストも安いと言われ
国内でも埋蔵しているか調査も必要かも知れません。

### 3）$CO_2$回収・利用、貯留（CCUS）固定化へ４兆円

　大気中の$CO_2$を除去貯留する技術を指すネガティブエミッション[22]
関連ですが、$CO_2$ガス漏洩のない岩盤等の地下貯留用地が日本にはそ
う多くなく、自然破壊の可能性と高コストに課題があります。

　しかし、国は2030年度に600〜1,200万ｔの貯留を目指し、10年間
で４兆円の官民投資を目論んでいます。だが適地調査には試掘権、そ
の先の貯留権獲得が必要で、長い年月と事業に入ったとしても故障、
過失は付きもの、貯めた積もりの$CO_2$が噴出などのリスクも高く、貯
留$CO_2$を利用生産した水素のサプライチェーン構築も厳しく、天然ガ
スより高い価格差を３兆円も補填では頷けない事業です。分散小型の
$CO_2$貯留、水素生産の標準システムに研究開発の投資が望まれます。

　貯留だけではなく、$CO_2$を活用し、人口光合成による化学原料など
の生産は大いに研究開発、注力するのが良いと思います。一例として
は大阪大学と豊田中央研究所、産業技術総合研究所は、糖を植物が光
合成から生産する数百倍の速度で生産する技術開発をしています。回

---

[22] 国立研究開発法人新エネルギー・産業技術総合開発機構（NEDO）の「ネガティブエミッション技術について
　　（DACCS/BECSS）2023年3月29日より

収 $CO_2$ と水を原料に、触媒とグリーン電力を用います。その糖は、砂糖や培養肉の栄養原料となります。利点は、広大なサトウキビ畑が不要、超少水量、高速生産、食糧安全保障、そして温暖化対応となります。反面、$CO_2$ 回収コストとグリーン電力量の低減がどこまで可能か、実現へは後 10 年ほどでしょう。

　世界的には既に、CCS と CCUS は十分な規模で実用化される見通しがなく、あてにすべきではないとされています。2030 年時点で CCUS 費用は 1t の $CO_2$ 削減に 50 〜 200 ドルと高価格で導入は困難でしょう。

　また、単に東南アジアなどへ $CO_2$ ガスを運び、このガスゴミを他国で埋める報道がありますが、考え無しの安易で馬鹿げた話です。

　このネガティブエミッションで抜けているのが、地下貯留より森林と海での $CO_2$ 吸収、貯蔵に触れていないのはいけません。森林や藻・海草による $CO_2$ 吸収は重要で、これをグリーンカーボン、ブルーカーボン（国連環境計画命名の陸上湿地と干潟と海洋での藻と草での吸収、藻場、海底土壌中への炭素固定、貯蔵された炭素）と言います。

　また、海洋植物は陸上植物より 2 倍以上の単位面積当たり $CO_2$ 吸収量で、しかも排出枠として認証、その売買取引が 2020 年度に始まっています。これは「脱炭素と生態系と水産業との相乗効果」をもたらす点から、海洋国家としてこの促進は欠かせず、水産業、地元民と水産物消費者とともに取り組む必要があるでしょう。

　その仕組みは**図２−２−１**を見てください。山は里山、海は里海としてこれから森林と海藻類の育成保護拡大を進めて $CO_2$ 吸収量を増やし、貯蔵期間を延ばす政策促進を即刻行い、成果を出すべきです。再生可能エネルギー導入とセットで行うのも良いでしょう。ブルーカーボンの年間吸収量は約 29 億 t で、グリーンカーボンの約 19 億 t の 1.5 倍にもなり、大気中の 50 倍の量が海洋に貯められます。英国科学ネイチャー誌では、ブルーカーボン関連事業による経済効果は全世界で年間 1,900 億ドルとされています。

　地方自治体は森林と併せ、里海の海草・藻の藻場を増やすことに真

剣に取り組み、海を豊かにし、海面へも太陽光発電所と一体の点滴植物栽培工場や養殖場、魚類を増やすなどの海産物産業の育成拡大を海中散歩のような観光スポーツやレジャーなどと併せ検討してはどうでしょう。このような新たな海中開発では、多くの場面での水中ドローンなどによる調査、作業、点検などを行うことになり、新しい職場も生まれるかもしれません。

　一方、東京の2万人強が働き住む職住接近の大型地域開発例では、6,000㎡の広場や果樹園、菜園、低層部建屋屋上も緑で覆われ、そして壁面緑化、街路樹も多くヒートアイランド現象の緩和にもなる立体緑園コンパクトシティが出現しています。その緑地は全体で約2.4万㎡にも及び、これは全体敷地の約4割です。

　街で使用するエネルギーには100％再生可能エネルギーを供給し、LED照明、EV充電器の設置、下水道排熱利用による地域冷暖房シス

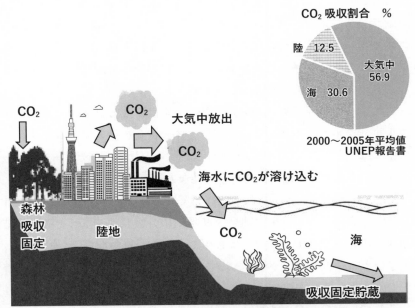

藻・海草は、多くの$CO_2$吸収し、その堆積物、土壌は長期間固定貯蔵

**図2−2−1　温暖化対策となるグリーンとブルーカーボン**

テム熱源の一部活用（これだけで70t/年$CO_2$削減）もされています。

　また重要な防災面では適切な制振装置を導入することで、東日本大震災や阪神・淡路大震災レベルの地震が起きた場合でも、安心して事業継続が可能な耐震性能を備え、災害などにより周辺エリアで帰宅困難者が発生したときに約3,600人が一時滞在でき、エネルギーもコージェネレーションシステム、非常用発電機により街全体の電力と熱を100%安定供給が確保されているとしています。

　その他、誰でも利用可能なウォーターサーバー、雨水の貯留・処理による外構部への散水や住居部からの雑排水の再利用処理によるトイレ洗浄などと広く再利用しています。

　またこの街から排出される「廃棄物やペットボトルを効率的に収集し再利用する水平リサイクルシステムなどと「都市型グリーンインフラ」の数々が導入されています。

　これこそが早急に経済復興も、脱炭素化も直ぐに行える「統合グリーントランスフォーメーション、GX」でしょう。これは「土・森・水・エネルギーの一体化脱炭素」といえ、広い視野とこれからの生活や産業の在り方まで見通した新世界で、この世界市場は膨大で、日本が世界に先駆けて進む道と確信しています。

　このような世界でも希な先進的統合GXは、地方自治体でも大いに導入可能な項目も多く、ここへGX支援、資金を投入すべきです。その中には、それぞれの分野の専門家とそれらの総合プロデュース、コーディネートや詳細企画計画を行う有能な人材育成の必要が重要です。

　そしてGXのすべての支援事業に当てはまりますが、その支援意義、目的、達成見込み、費用対効果、重要な$CO_2$吸収削減量、その成果結果などの検証システムソフトは必須です。まだ無いならAIを活用し、大学なりコンサルティング、ソフトウェア企業が火急作成することが急がれます。

　そして、**図2−2−1**以降の話は、地域再生、まちづくりとも言えるもので、省エネや再エネ導入やネガティブエミッションは核心部で

あり、そのためには地域で法律に則ったエネルギー共同組合を地元民が立ち上げてもよいのではと思っていますが、あまり聞かれないのも残念です。

### 4）中小企業でのGX

これについては申し訳程度の推進、支援の記述しかなく、政策での具体性や人材育成面なども中途半端で、国はもっと中小の地方企業が開発に力を入れ関与可能な案件を考えるべきでしょう。但し、地方中小企業も地域の大学や研究機関、専門能力を有するNPO法人、自治体などと力を合わせ、アイデアを多く出さなくてはなりません。

以上から、脱炭素に寄与速効性のあるGX案件は増額、設備導入を促進し、企業間市場競争を図りながら的を絞った脱炭素化を加速させたいものです。特に改良型再エネ技術投資と発電設備整備のみならず、併せて大幅に地域間送電、電力・バイオガス市場整備、そして資源循環、設備導入に留まらず、システムと一体とする案件などに一層力を入れる方が良いでしょう。それが統合GX、グリーンとブルーカーボン事業などと併せた産業、経済復興となり、エネルギー価格の高騰に見られるような「庶民を圧迫する円安、物価高騰」からの脱出と考えます。

巨大プロジェクトは世界金利も上がりインフレ化し始める中で、日本はいつまでも低インフレ下の低金利を利用する異例の国債発行による補助、交付金の多額なバラマキは中止すべきです。日本の債務総額は1,270兆円、増える一方でコロナ禍の3年で138兆円使い、さらに増え続けているのです。国民一人が負担する額は、驚くことに約1,000万円を超えました。国債という名の借金は、国民が返却しなければならないことをもう一度しっかり頭に入れましょう。この30年間で物価は世界で2倍、日本だけ1.1倍でした。金利の上昇も垣間見え、株式も上昇し始め景気が回復のような社会情勢ながらも、30年間の遅れが少し戻っただけで、行き過ぎた円安のなか物価高騰に給料も追いつかず、実質的には下がった状態です。国の経済政策も悪いが、国民も考えた選挙投票を行っておらず、棄権は自らの将来を捨てていると

言えます。そして権威に依存、甘え、おもねること無く、将来、未来を考え国民はもっと賢く政策に敏感となりましょう。借金と温暖化の加速とが同時に覆い被さってくる痛みを感じ耐える苛酷な日が来たらと想像すると、その悲惨さに背筋が寒くなります。

　後は、$CO_2$ 排出企業などに求められる負担である「カーボンプライシング」は、炭素税、キャップアンドトレード型の国内排出量取引、非化石価値取引市場、J-クレジット制度や JCM[*23] といった自主的なものも含むクレジット取引などの総称です。企業内で独自に二酸化炭素排出量に価格を付け投資判断等に活用されるインターナル・カーボンプライシングなど、様々な仕組みが存在します。カーボンプライシングは、フィンランド、ポーランドの 1990 年を筆頭に既に 64 カ国で実施され、日本の本格的対応は 2028 年からで 30 年近く遅く、呆れるばかりです。しかし少しは明るい話もあります。ローソンは 2024 年 1 月より社内炭素取引制度の導入を開始し、炭素価格 2 万円 /t と定めました。漸くこれで、50 社ほどの大手企業がこの制度の活用となりました。環境省は「インターナルカーボンプライシング活用ガイドライン」を発表し、詳細に解説しています。

　なお、ニューヨーク市などで交通に「渋滞税」の課税を、またシンガポールのように「ロードプライシング」などによる車の利用を抑制する国もあります。

　「排出量取引制度での炭素の価格」を上げる方向も出ています。日本は 1,500 円 /t-$CO_2$ が想定されていますが、少なくとも 1 万円程度に上げると社会の脱炭素化は急速に進むと考えます。既に炭素取引価格実施の欧米では驚くほど高く、EU-ETS[*24] は 2022 年 8 月には 98 ドル（13,300 円）/t-$CO_2$、EU 議会の 2023 年予測値も 100 ユーロ（14,500

---

*23 JCMはJoint Crediting Mechanismの略で、二国間クレジット制度という。途上国への優れた脱炭素技術、製品、システム、サービス、インフラ等の普及や対策実施を通じ、実現した温室効果ガス排出削減・吸収への日本国の貢献を定量的に評価するとともに、日本のNDC（国が決定する貢献）の達成等に活用すること、及び地球規模での排出削減・吸収行動を促進することにより、国連気候変動枠組条約の究極的な目的及びパリ協定の目的に献することを目指す制度のこと。環境省ウェブサイトより
*24 EU内排出量取引制度（EU-ETS:European Union Emissions Trading System）のこと

円）です。さらにウィリアム・ノードハウス著『グリーン経済学』では脱炭素促進には 200 ドル（約 3 万円弱）/t-$CO_2$ の価格付けが必要とされています。妙な助成より、「産業界の脱炭素化規制、排出量取引制度範囲拡大」や「グリーン製品定義規格、グリーン購入製品認定制度…ある意味 $CO_2$ の可視化開示」とでも言えるようなことを早く進めることです。また「グリーン購入法の適用範囲を広げ地方自治体、企業、国民へ義務化」が GX には重要ではないでしょうか。取引制度は「価格付けが、それだけの環境価値と言うか、脱炭素価値の見える化で、削減貢献度」となることも意味します。支払い側では価値を失い、削減側では価値創出」となります。企業はこの温暖化危機を飛躍の機会と捉え早く脱炭素へ舵を切った方が良いでしょう。なお、些細なことですが、炭素税は脱炭素社会が進むに連れて税収は下がり続け最後はゼロになるというものです。

　重ねて GX 経済移行は、10 年間に官民協調での 150 兆円を超える具体的内容の見えない GX 投資を即刻見直し、沸騰する地球や日本を今すぐ救う可能性は、化石エネルギーの火急削減と同時に加速度的に再生可能、自然エネルギー導入の注力にあります。

　長々と GX に関して書いた理由は、政府、大企業、大都市での GX とは視点を変え、地域で対話し、実現可能な具体的、現実的な再エネ導入構想、プランは何か、どう行動し、早く、確実に実行可能な方策と技術やシステムは何かを企業も市町村も自分事として考え実行して欲しいのです。

# 2-3. 脱炭素は地域再生とグリーン経済の要

## （1）無限の経済成長はあり得ない

　言うまでもないことですが、一つしかない地球においてエネルギーは、暮らしと産業活動には絶対に欠かせず、喩えるなら人間にとり水

や食糧と同様なもの、いや血液のような存在かもしれません。かと言って炭素リッチな化石系燃料の多用とはならず、利用不可能な時代でもあります。

　どう見ても、人類は己の手で自らの首に徐々に温暖化という軛を嵌め、今度は急いで自らの手でその軛を外そうともがいているのです。軛を外すには「新しい哲学、新しい脱炭素文明や文化、新しいグリーンな経済」を考えた後述のシュタットベルケやベネフィット・コーポレーションのようなまちづくりが肝心です。

　取りあえず右肩上がりの経済は横に置き、「自然や再生可能なエネルギーの早期大量導入、エネルギーシステム改革を中核」に据え、安心、安全な活気の出るまちづくりを先ず目指すことが多くの地域課題解決の鍵に繋がるのです。

　脱炭素化事業でのグリーンインフラ＊25 は「地域便益を第一とした社会共通資本」と「地域社会の命綱」であり、地域が維持管理すべき

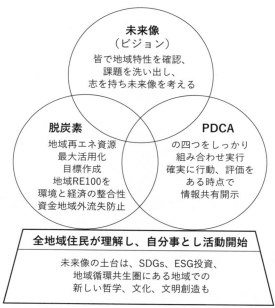

**未来像**
（ビジョン）
皆で地域特性を確認、
課題を洗い出し、
志を持ち未来像を考える

**脱炭素**
地域再エネ資源
最大活用化
目標作成
地域RE100を
環境と経済の整合性
資金地域外流失防止

**PDCA**
の四つをしっかり
組み合わせ実行
確実に行動、評価を
ある時点で
情報共有開示

**全地域住民が理解し、自分事とし活動開始**

未来像の土台は、SDGs、ESG投資、
地域循環共生圏にある地域での
新しい哲学、文化、文明創造も

**図2－3－1　地域計画・政策・実行計画の体系化**

公共財と考えるような広い視野でシナジー効果を考えましょう。

それには、自治体と企業・住民は連携し地域社会へ一層目を注ぎ、新しい具体的な地域社会構築、共創を目指すまちづくりとなるような理念、計画を地域毎で模索し、幅広く確実に実行、遂行する活動が大切です。これが脱炭素による地域の価値を上げ、活性化となります。

また、全住民には強制や義務ではなく、自ら参加行動したくなるような知恵と行動を起こすことを促し、動機づけが必要です。それには新しい町の未来を考えることに興味を持ってもらい、スマートで穏やかな暮らし、心地よいまちになりそうと思っていただけるような知恵だしがポイントです。その際に、地域の計画、政策、実行の体系というか枠組み化を進めるに当たり、**図2－3－1**を考えてみました。未来像、脱炭素、PDCA を一体化して、頭でっかちな計画、願望のプランではなく、先ずは動き回り、小さな成果が目に見えて着実に実現しつつあることを感じていただくことです。住民の多くが参加し、ごくわずかでも出資した小さな再エネ発電所の竣工、受電などもその一つとなるでしょう。そして行動を正確に評価し、問題点があれば、直ぐ改善し練り直し再スタートしスパイラル状に高みへと上がっていくことが必要です。

そのような事例に近い取り組みが行われている地域が、ドイツ、オーストリアなどでのシュタットベルケ、アメリカ、フランス、イタリアなどでのプライベート・ベネフィット・コーポレーション（PBC、BC と簡略も）でしょう。

## (2) シュタットベルケ

これは中世に起源を持つ欧州での共有財産の「森林、里山、牧草地、入会地、河川、漁場」の共同管理利用のローカルコモンズから始まり、さらに 1800 年代末では石炭ガス化によるガス灯、燃料ガス供給、そ

---

*25 脱炭素エネルギーを筆頭に、水田、遊水池、公園緑地など自然の機能や仕組みを活用したインフラのこと。持続性がありハイブリッドでより力を発揮。ソフトも入る。これらに対してコンクリートなどでつくられる63構築物などをグレーインフラという。

して1900年代の小水力発電、1980年頃からの小規模なバイオガスや木質ボイラーによる地域熱供給などへと進み、2000年代に入り、太陽光、風力発電に加えて、バイオガスと木質ガス化熱電併給による温水や電力の生産へと拡大し、それらの地域供給へと展開されてきた線上にシュタットベルケがあると考えます。

　上記からさらに事業の高度化により投資も必要となり、最初は自治体出資が多かったのですが、近年は民間も出資し事業参加するようになりました。

　現在は水道や下水道、図書館、公共水泳プール、地域規模拡大熱供給事業、さらに地域へ大型の風力、太陽光による電力供給を行うなどを含め地域公共サービスの運営も民間が担い、幅広い自治による事業展開となり地域社会を変え始めています。これらは正に公益であり、従来の利潤追求の民営化企業体とは異なり、また外部の資本家ばかりが儲けるのではなく、地域の環境や社会へしっかりと配慮し、公共サービスの一部にも責任を持ち投資を行い地域とともに歩み、地域貢献するパブリック・コモンズへと高度化したまちづくりそのものとなっています。

　これに災害列島日本では、今後公共と協力し自治により自らの命、財産を守る防災拠点センターなどが付け加わるでしょう。これらローカルコモンズを世界全体へ広げると、グローバル・コモンズへと転換を成し遂げた先に、世界の展望が開けるのでは。グローバル経済もその中で新しい規範の下、新生すると期待したいものです。

　たとえ利益率は下がり利益最大化は望めないとしても、「持続的な経営」が可能となり、環境配慮や脱炭素化経営を諮ることで住民の将来負担を軽くし、リスクを小さくする住民自治による準公的機関であり、長期的には評価されていきます。

　求められる基本は、きちんとした明確な目標を掲げ、地域での民主的な話合いと実践活動にあり、国や自治体や人任せとしない自分ごとと捉えた自立した住民参加型で、身近な出来ることから直ぐ取り組む

ことです。本社が大都会にある企業が、地方で大規模再エネ事業など
と含めて街づくりを行うことは、利益を都会へ持ち去られるのみで、
地域にお金は残らず、人材含め地域資源が減るばかりです。

　少ないのですが複数自治体が連合、連携する形態もあります。そし
て、自治体が監査などに関与する公法上企業が多いのが特徴です。

　現在は昔と少し異なり、自治体の財政悪化の建て直しも目的に入り、
その手法が民営化にあるということです。従い経営は民間企業として
運営されているのが味噌で、リスクをとりながら、迅速で合理的な事
業決定、活動を行えることがポイントとなります。また自治体が監督
と執行のガバナンスを行う特徴があります。近年は時代に合わせ、地
域の価値創出や市場のパートナーとの強固な連携により、地域ニーズ
を模索して福祉の向上を目指すサービスなどの提供も始まっていま
す。雇用は100名程度から5,000人を超える大きなものまで様々です。

## (3) 事業の主体は、エネルギーに軸足

　これまでのドイツは日本同様に長い間、独占8大電力会社が国内総
発電量の約9割を供給してきました。しかし1998年の電力自由化、
2000年からのFIT制度導入以降、「発電、送電、配電、小売り」分
離を余儀なくされ、その過程で大手は生き残りを賭け4社に統合され、
今では3社です。同時に再エネ資源活用の小規模発電と配電と小売り
を行う約1,000社の公営や民営企業が出現しましが、送電のほとんどは
今でも大企業が所有する既存設備に頼っています。今の電力供給体制
は図2-3-2の通りですが、大手電力会社へ電気を卸販売する独立
系発電事業者（IPP）と小規模電力を扱う多くの地域新電力（PPS）[26]
が新たに加わりました。しかし、小規模電力調達によるPPSは燃料
の高騰で高価格電力の調達販売は、急激な電力需要変動では即時対応

---

*26 電力Power Producer and Supplier:PPSは「特定規模電気事業者」を指し、大手電力会社と違い、卸電力取引
　　所という卸売市場から電気を仕入れ、それを需要家に供給するケース、発電事業者*から電力を購入して販売する
　　ケース、そして少ないが自社で再生可能エネルギーにより発電して販売するケースの3種類がある。購入者は最後
　　のケースを選ぶべきである。日本では約700社の内、約200社が倒産している。

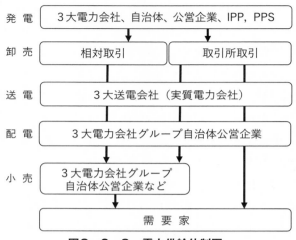

発　電　｜　3大電力会社、自治体、公営企業、IPP, PPS

卸　売　｜　相対取引　｜　取引所取引

送　電　｜　3大送電会社（実質電力会社）

配　電　｜　3大電力会社グループ自治体公営企業

小　売　｜　3大電力会社グループ　自治体公営企業など

需　要　家

**図2-3-2　電力供給体制図**

出所：ドイツ電気事業連合会

が叶わず、多くが倒産消滅しています。これは日本の昨今の状況と近似し、自社発電設備を持たない限り、電力を仕入れて小売り販売するだけのPPSは成立しません。

　ドイツの再生可能エネルギーによる2023年上期の電力発電比率は約58％に、そして2023年4月には原子力発電も完全廃止となったことも記しておきます。平野部と遠浅の海が多い国と、山が多く、直ぐ深い海となる日本の事情を考慮しても、この数値は見習い、追いつきたい数値です。

　筆者が視察したうちの一つ、オーストリア・インスブルク市では、木質バイオマスガス化発電による熱電併給を含めての発電と配電、地域熱供給エネルギー販売事業が大きな収益を上げていました。以前の大手電気会社よりも電力単価は少し上がりましたが、市民は納得満足していると聞きました。それはこの中心事業からの利益を赤字である図書館や市民プールや財政の苦しい廃棄物処理、上下水道などへ配分し市民の「公益、便益」を図る幅広い事業展開を行っているからです。またミューヘンに近い3ha近い敷地の修道院が近隣地区からの畜糞、

┌─────────────────────────────────────────────────────────────┐
│                                                             │
│          *合理的・迅速意思決定      *人材養成（雇用創出）        │
│          *リスクを取り自立・実現    *地域内経済循環を優先        │
│  利      *再エネ導入促進          *市民の96％が地元電力選択      │
│          *長期的視点から          *地域内長期顧客関係性が継続    │
│  点      *顔の見える密着サービス    *迅速な災害対応が可能        │
│          *地域貢献                  （ライフライン確保）        │
│          *脱炭素化推進            *まちづくりに大きく寄与する    │
│          *持続的な経営が可能      *環境配慮型経営              │
│                                                             │
│  出      ◉ 自治体100％           ◉ 自治体同士による共同で      │
│  資      ◉ 自治体と民間/企業      ◉ 有限（合同）と株式の形態     │
│                                                             │
│  ── どちらかと言えば、住民と地場企業が主役、行政は手を添える ──   │
│                                                             │
│  エネルギー供給系分野              生活インフラ系分野           │
│  ╭──────────────╮  地域  ╭──────────────╮ │
│  │ 再生可能エネルギー供給 │  │   公共サービス    │ │
│  │   電気・ガス・熱    │        │ 上下水道・交通・通信 │ │
│  ╰──────────────╯        │ ゴミ処理・公共施設管理 │ │
│                                 ╰──────────────╯ │
│  地域創出の熱は地域内でしか           ＩＣＴ管理               │
│  活用できない。大電力は不可能         マネージメント            │
└─────────────────────────────────────────────────────────────┘

**図2-3-3　シュタットベルケによる地産地消事業のポイント**

生ゴミをバイオガス化し、木質バイオマスボイラーとあわせて院内へ給湯、暖房として活用しています。熱供給は修道院経営の寄宿制高校、印刷会社、レストラン、ホテル、無論多くの修道院関連施設などへ送られています。このようなシュタットベルケもどきを含め、それは約1,500以上もあります。ドイツもオーストリーでも内部情報の共有や連邦政府への政策提言を行うため、ドイツでは社団法人自治体事業協会というシュタットベルケ連盟、オーストリアでも公共経済・地域経済協会が設立されています。以上の要点は**図2-3-3**に示すとおりです。

## （4） ベネフィット・コーポレーション
### （BC:Benefit　Corporation,プライベート・ベネフィット・コーポレーションともいう）

BCは企業が主体で、自治体は関係せず、株主価値の最大化を目指

すことなく、株主利益もステークホルダーに対する公共利益も強く意識した企業経営を行う新しい法人形態です。つまり市民の共感を得られるような社会的な課題の解決と経済的成長の両立を目指す欲張ったものと言え、営利法人にも非営利法人にも該当せず、営利企業が公益実現も追求する新しい法人格の法制度化とその活用が世界で広がっています。

　アメリカでは、BC 関係の法律は 2010 年にメリーランド州で初めて法律制定され、すでに 37 州に広がり、カナダ、フランス、イタリアなどでも法制化されています。そして株主最優先ではなく、環境やコミュニティ、社員、さらには外部団体等と幅広いステークホルダーすべてとの調和を図る意思決定、経営をし、企業活動を通じて「公共の利益」と通常の「営業利益」の両立を実現しています。現在、アメリカだけでも 2020 年までに約 1 万社以上が設立されており、世界的に有名なのはフランスの食品会社ダノンです。BC はシュタットベルケよりもはるかに今の社会に合う企業体で、公共的事業を取り込む形態で、自治体の業務内容も大きく変わり始めていると考えます。

　岸田内閣は、2022 年の新しい資本主義で BC を検討すると述べたが、普及も法制度化もされていない。なお、米国非営利団体 B ラボでは、BC 法未制定国企業を対象に、BC と同等資格を有することを国際認証する認定 BC 制度がある。日本では 41 社認定されている。

　日本は世界有数の災害列島で、地域発電施設を防災センターへ官民一体で設置し、地域エネルギー経営も兼ねてはどうでしょう。さらに地域内エネルギーマネージメント、過疎地区でのミニ EV バスなどの運行管理運営・交通管制、バーチャル医療診療所経営運営、老人や子供の AI 見守り、駐車場や街灯管理などにも進出して欲しいと思います。電力マネージメントセンターが建設されるなら、それらの制御・管理を電力と情報関連を IT 技術により一元統合管理が可能になると考えます。出来れば、小さな市町村では、配電とその電線の保守管理も大手送配電会社から委託管理保守点検業務を受けることも検討し、

雇用を増やすのも課題ではと愚考します。

　電力事業が「まちづくりの要で重要なグリーンインフラ」であることは、すべての暮らしや産業活動にとり必須のこととご理解いただけると考えます。とは言え、知識と専門人材の不足が課題となっているのが日本の現状でしょう。

　なお、一極集中の密集型都市ではエネルギー自立、脱炭素社会形成は不可能で部分的なものとなるでしょう。それは自然や再生可能エネルギー源が無いからです。省エネに加え大量の不足分を地方からの余剰再生可能エネルギーを購入して達成出来るかどうかです。密集型都市は格差も大きく、生活費も高く暮らし難く、温暖化につれ何度でも新手に襲われる可能性が大きいパンデミックスによるリスクも地方よりはるかに高く、住宅も貧相とならざるを得ず、通勤も1時間はザラです。地方をもっと見直すべきで、森も海も近くにあり、様々な自然資源が豊富です。その資源を活かしたエネルギー創出は、エネルギーのみならずいろいろな工夫をすることで仕事を増やし、地域内経済循環拡大に変えることで豊かな暮らしが行えるのです。そしてIoT技術を活用した柔軟なコンパクトな災害にも強い持続可能な分散型エネルギータウンが容易に地域形成、まちづくりを行いやすいものに変えます。今後大都市から、もっとエネルギー資源豊富な地方へ移転する方々増えてもおかしくはないはずと考えます。

## (5) 脱炭素と経済循環…地域内乗数

　群馬県上野村は、2030年度までに全村の電力供給は100％再生可能エネルギーで賄い、全域での脱炭素達成を図る前例のない村です。太陽光発電は村全戸と公共施設へ設置します。但し100戸ほどの導入困難住宅へは新電力を経由した村の再生エネ供給と蓄電池配給となります。また村内で太陽熱温水器設置希望者への助成も検討されています。庁舎建て替えに伴い、太陽光発電と木質ガス化熱電併給設備を導入し、冷暖房、給湯を含め庁舎内エネルギーを賄い、余剰分や夜間の電力は

小型EVスクールバスやEV公用車とポータブル蓄電池へ供給します。それで、庁舎はZEB化（省エネと創エネによる化石エネルギー消費ゼロ以下のネット・ゼロ・エネルギー・ビル）となります。熱関係も、木質ボイラーで、近隣一部地区へも余剰温水を供給します。また新庁舎建設と周辺住宅などを含めたマイクログリッドシステム設備も導入して、防災センター機能も持たせます。いずれ全村の集落へもマイクログリッドシステムを展開し、それを統合システム運用する計画です。これらハード、ソフト導入により、すべての村民は公平に脱炭素化の恩恵を受け、全員が関われる仕組みとなっています。

　上野村の事例は、投資資金はさておいて、日本以上の地震大国のインドネシア、フィリピン、そしてベトナムなどの東南アジアの地方都市、島嶼でのモデルにもなるもので、これを海外へ若者が出掛け現地の方と共に脱炭素地域づくりを行っていただきたいと思います。国もこれをJICA（国際協力機構）とともに脱炭素支援モデルとしても良いと考えます。

　本書の最後に上野村役場の担当者に脱炭素先行地域事業について、ざっくばらんに語っていただいていますので、そちらも是非お読みください。

　脱炭素化事業導入による地域内での経済的な効果を目に見える数値表示で見ましょう。それには、経済においてケインズによる「乗数効果」により、稼いだお金を域外に流出するのを減らし、お金が域内で何回転しているかを表す概略計算が参考となります。単純に投資回収年月や赤字だからという近視眼的なことで事業を判断しないことです。

　その概要をウィキペディアでは、「生産者が投資を増やす→域内所得が増加する→域内消費が増える→さらに域内所得が増え→さらに消費が増える→また所得が増加する→また消費が増える→・・・という経済上の効果」を表すとあります。この増加のサイクルは投資の伸びに対して乗数（掛け算）的な所得の伸びとなることから、乗数効果と呼びます。

計算は、「ある自治体（企業）でプロジェクト投資をした際に、「事業投資（X）が行われ、地域住民の可処分所得1単位増えたとき、その内のある金額割合（β）だけ地域内で消費し、（1-β）だけ貯蓄に回すとするなら、この消費額は地域内の商店、企業経由で再び家計に入る。これが繰り返（お金が循環）されることで、最終的に総消費額は増加します。お金の行き先を3巡目まで追うことを地域内乗数LM3（Local Multiplier3）、4巡ではLM4と表します。数式ではX÷（1-β）増加となり、最初の投資Xの1/（1-β）倍分だけ消費が拡大することになります。

では具体的に「上野村で、きのこセンターへ併設された木質バイオマスガス化熱電併給施設のケース」を検討します。エネルギーフローは図2－3－4に、地域内乗数は図2－3－5です。LM3は域内投入（R2 + R3）／発電所収入 R1 = 2.14 回転、LM4では2.28、域内所

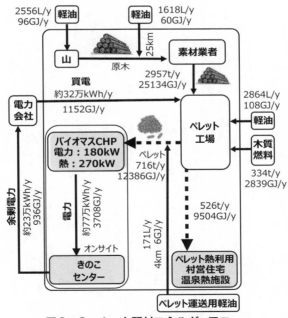

**図2－3－4　上野村エネルギーフロー**

注）丸太1t当たり$CO_2$削減量　-0.331$CO_2$t／丸太t

得は 5,380 万円です。発電と同時に熱（お湯）も得られ冷暖房にも使えるのですが、ペレット原料品質の問題から施設稼働が若干不安定で、お湯の供給が一定とならないことから、きのこ生育棟での厳格な 20℃ に室内を常に一定にするには難点があり熱利用されず、乗数が下がっています。一工夫し熱利用が出来ると、村の充当（補填）分は大幅に減るでしょう。また、最終的には、きのこセンター、ペレット工場、木質熱電併給施設の 3 施設が同一敷地内に建設できるならさらに効果が上がると考えます。残念ながら山間の村にはそんな広い用地が無いので致し方ありません。なお、大部分の電気は自己消費されていますが、余剰分は大変安い価格で東京電力へ売られています。

　次に岐阜県高山市が建設し、運営は民間委託による「飛騨高山しぶきの湯」ではどうなるか検討しました。

　電気は FIT による 40 円 /kWh で売電、約 90℃ のお湯は灯油換算

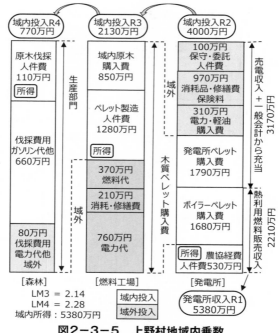

図2-3-5　上野村地域内乗数

80円/L（現在では安すぎ）で温泉加温、給湯用などにしぶきの湯へ販売しています。**図２－３－６**は「エネルギーフロー」です。燃料はペレットですが、この工場は9km離れています。仮にペレット工場とバイオマスCHP施設が同一敷地内であれば、お湯でペレット用木粉を乾燥させることで軽油燃料が不要となります。如何に全量の熱を使い切るかが大きく採算性に影響し、さらにペレットの搬送も不要となり、さらに利潤が増えます。

　**図２－３－７**に「地域内乗数」を示します。高山での結論は、LM3は2.28、LM4は2.41、域内所得は人件費ですが、1,451万円と算出されました。

　以上の上野村、高山市での調査解析図は、岩手大学客員教授山崎慶太博士[*27]提供によるものです。

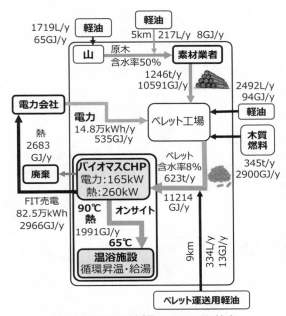

丸太1t当たりCO₂削減量：-0.481t-CO₂/丸太t

**図２－３－６　飛騨高山しぶきの湯バイオマス発電所　エネルギーフロー**

*27 株式会社竹中工務店技術研究所前主任研究員、現岩手大学客員教授、島根県立大学地域政策学部客員研究員、佐賀大学理工学部客員研究員

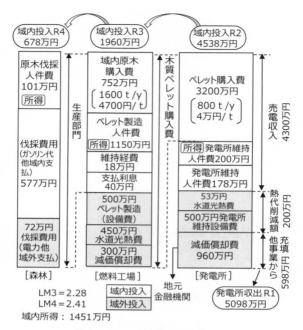

図2-3-7　高山地域内乗数

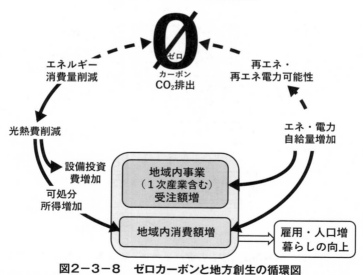

図2-3-8　ゼロカーボンと地方創生の循環図

出所：地方創生ゼロカーボンシート内閣府地方創生ゼロカーボン事業

また、宮城の林業と製材、建築まで一体経営を行う「くりこまくんえん社（現株式会社 KURIMOKU）」が大崎市鳴子温泉近傍地区で４棟のアパートとエネルギーセンター、事務棟を建設し、電力は売電、温水は全戸への冷暖房用と給湯用として 50kW の木質バイオマス CHP、木質ボイラーが稼働しています。

　なお、第１部１−３節の**図１−３−４**をもう一度見てください。宮崎県串間市では、市立病院で、宮城同様、木質バイオマス CHP と木質ボイラーから院内用の電力と冷暖房、給湯用のお湯を賄っています。公共施設に同様な設備を設けるなら、常用、災害時にも電気も給湯も空調も行えます。

　まちづくりでは、「エネルギーの地域内での上野村黒澤村長が言われる地活、地産、地消」が鍵で、その面で上野村、大崎市、串間市事例は参考となるでしょう。

　まちづくりには環境省や内閣府が提唱する**図２−３−８**のような「ゼロカーボンと地域創生の循環図」の考え方を入れて進めるとより良い地域形成が図れ、革新的再生となると考えます。図の中心部の下の「地域内での受注額増と消費額増」が暮らしをよくすることを表しています。以上を踏まえて、第１部２−４節の**図２−４−３**の如く地域内でエネルギーを我が手にグリップし、地域全員参加の下に「まち・ひと・しごと」の一体的構築により新しい「安心し、穏やかな過ごしやすい、地域で心の繋がった」コミュニティ形成を考えたいものです。

　重ねて、省エネと再エネ導入、エネ管理の一体化で地域エネルギー自立分散システムを核にまちづくりを行うなら心地よい持続的な地域になるでしょう。

# 2−4. 脱炭素とSDGs、ESG投資との相関

　最初に「脱炭素事業、SDGs、ESG 投資」の三つは深く関係しています。脱炭素事業を幅広い視野から俯瞰すると、様々な点で「自然環

境と再生エネルギー、脱炭素経済、地域社会課題」の３項目での相乗効果があることを知っていただきたい。

　17の持続可能な開発目標（SDGs）はどこから見ても過不足のない、人類にとり望ましい世界共通の根源的な「理想的目標」だと思います。そして「誰一人取りこぼすことなく」、最優先で解決すべき課題を、誰にでも分かりやすく簡潔に表明されています。この目標達成には2030年という期限があり、既に折り返し点を過ぎ達成はそう容易ではなさそうです。

　国別実施度ランキングは21位と日本は芳しくありません。日本ばかりでなく世界でも進捗度は遅く、国連の「SDGs報告2023特別版」報告によると、15％しか順調に進んでおらず、達成には赤信号が点灯の課題が40％もあります。困ったことに、そのなかに気候変動SDG13が入っています。そして日本も観測史上最も暑く５月や10月初旬でも30から35℃を記録したにもかかわらず、相も変わらず脱炭素と唱えるだけであり、達成の実行速度も遅く、$CO_2$削減実績量も少ない国です。

　SDGsは地球温暖化問題や脱炭素などより、分かりやすいロゴマークで、あっと言う間に幼子から老人に至る方々にまで受け入れられ、今では商品や製品の広告宣伝にも活用される時代。解説本もビジネス分野は言うに及ばず学校や塾どころか、絵本として幼児向けまで出版されています。それでも脱炭素と表裏一体のSDG7エネルギーの再生可能エネルギーへの転換が進んでいないのです。

　このことは何を意味するのでしょうか。都市への集中化率は、総務省資料では約90％で、都会には再エネ資源も、設置場所も少ない。それに較べ脱炭素エネルギー源のある地方には人手も少なく、経済のシュリンク化の上エネルギーインフラへの資金も少ないことにもあるでしょう。また、全体的に商品やサービスが従前と較べ$CO_2$をどれだけ削減しているかの見える化や、経済的にも良い点を生むことの説明や理解を得る手を抜いていると推測しています。今後、法的に有価

証券報告書へサステナビリティの情報記載が義務づけられ脱炭素化が進むと良いのですが。幾つかのSDGsと再エネを組み合わせると、もっと事業の相乗効果を生みます。

そこで「SDGsの構図、脱炭素エネルギーとSDGs、まちづくりとSDGs、SDGsとESG投資」の4項目について述べます。

## （1）SDGsの構成

構図は**図2－4－1**のように考えます。

SDGsを小塔のある三層からなる地球社会と見立て、最上位の塔に理念シンボルとも言うべき「人々が互いに良きパートナーであらんことを・すべてにおいて不平等を除き・平和と公正をすべての人に」を掲げ、その下に「金融・経済界と社会のあり方」に関する階層、2階には「社会課題（貧困・教育・まちづくり）」など、最重要の「全生態系の生存維持」に関する1階と土台の階層があると考えます。

この土台と1階が崩れると、人類社会は瓦解し、流民となり、果てはどうなるのでしょう。

これらの関連を資本で表現すると、いきとし生ける者達の生存圏（権）を支える最重要の「自然環境資本」があり、その上に重要な「社会共通資本」、そして「経済資本」があり、全世界での争い事を避ける相互信頼、話し合い、助け合う「パートナーシップや不平等、平和・公正」が頂点にあると言えます。因みに自然環境資本は、資源量の有限な地下化石資源と違い適切な維持管理、資源循環利用などが行え、資源量増大も可能です。課題は、自然資源を減らさずに温暖化を防ぎ、乱獲しない、再生化維持増大管理を行うことが重要です。この資本がもたらす利益は、年間44兆ドル（約6,600兆円）、世界の国内総生産の半分以上と推計されています。それにも関わらず、1970年以来、約68％の生物多様性が失われれています。そこでこの4年ほどの間に、SDG14,15とも深く関係する自然生態系の損失を食い止め、回復させる「ネイチャーポジティブ（草木などへの炭素貯留固定促進）」が世

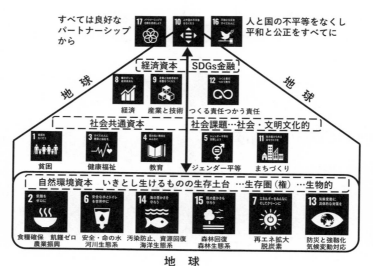

**図2-4-1　SDGsの構図**

| 社会共通資本 | = | 自然環境資本 | + | 社会的インフラ | + | 制度設計 |

社会にとり共通資産として、社会的に管理、運営される共通財産
私的資産とは異なる

大気、森林、草原、河川、湖沼、海岸、海洋、水、地下水、沿岸湿地、土壌、大気、動植物など

道路、交通機関、上下水道、電力ガスなど

教育、医療司法、金融行政など

外部不経済の　内部化も

これまで社会資本と呼ばれ、土木工学的側面を持つ

**図2-4-2　社会共通資本とSDGsは密接な関係**

出所：『社会的共通資本』宇沢弘文 著（岩波新書）より竹林作成

界で盛んとなっています。日本も企業、自治体、個人も SDG11 まちづくりとも関係することから、もっと関心を持ち関与したいものです。なお、社会共通資本は分かりにくいかも知れませんが、**図2-4-2**のように、自然環境資本と社会的インフラと制度設計から成り立つものと考えています。

## （2） 脱炭素エネルギーSDG7と8項目のSDG

　SDG7エネルギーは、脱炭素化のみならず、幅広い項目で脱炭素エネルギーへの容易なアクセスや利用可能性を上げることです。そして関係者間の意識共有と協働し持続可能な関係性を保つことが重要です。世界人口の13％は依然として現代的な電力利用が出来ず、30億人がクリーンな調理、炊事も叶いません。

### ◎SDG7エネルギーと8項目のSDG

　**SDG2 食糧・飢餓**：持続可能な農業振興や安価な食糧生産、食品製造、安全で健康的な調理、炊事[*28]と関係性があります。水力、太陽光発電であれば、ほぼすべての国々で利用出来ます

　なお、食料部門の全世界でのエネ消費は全世界で30％を占め、温室効果ガス排出量の22％を占めていることを認識しておいてください[*29]。農水省では、省庁のトップを切り2027年度を目処にすべての補助金の支給与件に「脱炭素などの地球環境対策」を加えています。

　**SDG3 健康と福祉**：病院建設、衛生・医療設備稼働には、多くの電力と熱エネルギーを必要としています。高齢化とともに、介護作業ロボット導入や設備の自動化でエネルギーが重要。また、温暖化を防ぐことが動物のウイルス、細菌などからの感染症を減らします

　**SDG6 水**：水の生産、容易に衛生的飲料水アクセスのための給水、送排水、衛生的浄化、汚水処理、農業灌漑、水関連災害防止、水制御などと幅広く大きく関係影響します。いずれ再生可能エネルギーを使い海水から淡水を大量生産する時代がくるでしょう

　**SDG9 産業と技術革新の基盤整備**：移動、輸送、情報通信、他インフラ整備と運用にはエネルギーが欠かせないのはお分かりの通りです

---

*28 2023年7月、アフリカ開発銀行グループ（AfDB）と国際エネルギー機関（IEA）はクリーンな調理に関する報告書「A Vision for Clean Cooking Access for All」を公表。世界の約3人に1人が、現在もたき火やストーブ等で調理をしており、健康面や環境面、生活水準、男女平等等に大きな被害をもたらしている。
*29 2018年12月国連広報センター日本語訳より

**SDG11 都市、住み続けられるまち**：まち、都市は数多くの活動拠点となり、まちの持続性、発展も求められ当然多くのクリーンエネルギーの安定供給が必要です

**SDG12 つくる、つかう責任、そして持続可能な消費と生産**：ここでの基本は、エネルギーを可能な限り使わない、例えば、新製品に替え再生品利用のような省エネを促進し、持続可能な基本的サービスが受けられることがベースとなります。また耳触りの良いライフスタイル転換の言葉より再エネをどれだけ入れたか、それにより生活の質をどこまで上げたかの数値表示が重要。2050年には世界人口が96億人になる可能性もあり、そうなると現在の生活様式を持続させるためには地球が3個必要です。最後に、照明のLED化による省エネ化や高炉材鉄製品ではなく電炉材製品活用、自家用車使用を減らし公共交通の利便性向上が大きなポイントとなります

**SDG14 海の豊かさを守る**：大変重要で、海洋は、排出された$CO_2$の約30%を吸収し、温暖化影響を和らげます。気温同様に海水温も上昇し、$CO_2$吸収により酸性化水準も上がり始め、海洋生物育成へも影響が出始め、漁業も成り立ちにくくなる可能性も出ています。そこで浮体式風力発電などの創エネとブルーカーボン事業による$CO_2$吸収量増加させ、良好な養殖や漁場も形成出来ます。

**SDG15 陸の豊かさ、森林、生物多様性を守る**：木材は化石燃料代替エネルギーとなり、水の貯留、蒸発を防ぎ、さらに$CO_2$を吸収し気候を安定化させる役割を担っています。杉の人工林40年生は1haで年間$CO_2$約8t強、蓄積量300tで、最新のその吸収量は5,830万tでした。それらにより日本では70兆円の貨幣評価となるとされています。また建材、家具利用で$CO_2$を固定化してくれます。世界的には人口増もあり、途上国では燃料用として過剰採取、違法伐採が多く、また温暖化による森林火災も大幅に増加し、世界の森林は日本の森林面積の約7倍の約1億8,000万haも減少しています。$CO_2$吸収量は世界資源研究所の2001年から2019年間では76億tと膨大で、

森林の造林はますます重要となります。

　上に述べたように、17項目中の8項目もエネルギーは深く関係しています。だからこそ、これまでのようにエネルギー源を化石燃料の輸入に依存することなく、原発事故に怯えることなく、何事もなく何気なく入手の心配もせずに使える身近な、知った地元生産のエネルギー化とその活用を望むのは当然のことと言えます。

## （3）まちづくりSDG11と16項目のSDG

　まちづくりはすべのSDGと関係性を持ち、特にエネルギーがこれからはポイントとなり、前項とは視線を変えて考えましょう。

　今後は、まち全体がローカルやパブリック・コモンズにより運営維持されつつあり、さらにはコモンズによる公益と株主利益の両にらみを目指すまちづくりが増えていくでしょう。そしてAI、IoT、DXなどと情報通信が要であり欠かせぬものとなり、それはすべてエネルギーと一体直結しています。それらのトータルでの上手な活用がまちの経済発展にも、充実した持続可能な安定したまちの発展、暮らしの安定化へも繋がります。その先端を拓く理念モデルが前項でのベネフィット・コーポレーション方式と考えます。

　ここで、SDGsと地方創生「まち・ひと・しごと」との関係を図2－4－3に示します。ここでは特にまちづくりSDG11と深く関係する8項目のSDGとの関係性に絞り掲げました。公共基盤インフラである再生可能エネルギーを核に、陸の豊かさである森林、まちづくりが密接に関連し、気候変動対応をパートナーシップにより推進されるものであることを図示しました。それらが原動力となり、結果地域振興が図られることになるでしょう。資金的には、地元の金融機関が$CO_2$排出量の削減率に対応して金利を優遇するサスティナビリティ・リンク・ローンなどによりしっかりと地域と連携投資して地域循環経済を支え、油、ガス、電力費などに掛かる費用の地域外へ流出する資金を極力減らすこと等で、お金が廻り住民の所得が増え、地域経済の

図２-４-３　地方創生「まち・ひと・しごと」＋SDGs

縮小を防ぎ、地域内活用保留となっていくと考えます。まちは人にとって、すべての生業の場、暮らしそのものですが、どれ一つ欠けても暮らしも産業も成り立ないのです。いつも穏やかな居場所があり、活気ある商店街、わいわい、ガヤガヤと多様な人が集まり話し合うような場、少々猥雑な飲み屋街などもあればなお嬉しく、そして子供も大人も憩える公園や広場など、安心して暮らし、働き、みんなが繋がっていたいものです。まちづくりの広がり、深さはとてつもなく大きなもので、地方のまちは、密集都市にはない自然環境資本という生存をかけた頑丈で大きな土台の上に成立しており、人間や生物とまちのハー

ドとソフトの一体化したものと考えます。

　まちは単に道路と建物や様々なインフラ施設や公園などが街区区分、配置されて人が居れば良いのがまちとは誰も考えていないでしょう。まちはハード、ソフトシステムなどの範疇を超え、目に見えないが、身体や心を癒やし、優しく語り掛け、自然と落ち着いた静かな会話ができるような楽しく安全や居心地良いハートシステム環境でなければいけないと思います。ですから自然環境資本の上にまちづくりを持ってきたのです。個人的にはタワーマンションなどは自然から大きくかけ離れ孤立した空中に浮遊する心許ない人間自己中心、経済理論だけの巨大な石塔のような代物と思うのですが。皆さんどうですか？

　生態系が崩れたら、870万種の仲間の一員と言うか一種にしかすぎず、気候変動、環境変化への耐性もない人間は動物、昆虫、雑草より個で生き抜く力も弱く、すぐに衰え消え失せてしまうでしょう。

## （4）ESG投資とSDGs

　「SDGs 達成と ESG 投資」は**図２－４－４**のような関係性があります。ESG 投資は社会的に意義ある事業への投資と法令順守などの統治をあわせて行い、そして非財務的価値向上、利益向上を支えることであり、SDGs は永続的ゴール、持続可能な開発目標を達成させることと考えます。2023 年 3 月には、脱炭素を中心とした気候関連財務情報開示（TCFD：気候変動に関する方針・取り組み対応・財務影響など情報の開示）が法制化され、脱炭素を含めサステナビリティに関する「ガバナンス、リスク管理」の開示が必須となり、さらに任意ですが「戦略、指標・目標」などの開示をも促しています。こうなると企業と同様に自治行政体にもこれと同じことを社会が求めるでしょう。

　SDGs は明確な全世界共通の達成目標ですから、それ自体が新しい事業機会の対象となると考えてよいと言え、事業には資金が必要となり地域金融の活躍する場が出てきます。SDGs は社会的課題を解決すべき目標を明示しており、ESG 投資はまさに公益と事業利益のバラン

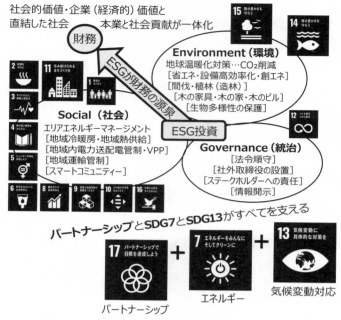

社会的価値・企業（経済的）価値と
直結した社会　　本業と社会貢献が一体化

財務

ESGが財務の源泉

**Environment（環境）**
地球温暖化対策…CO₂削減
［省エネ・設備高効率化・創エネ］
［間伐・植林（造林）］
［木の家具・木の家・木のビル］
［生物多様性の保護］

**Social（社会）**
エリアエネルギーマネージメント
［地域冷暖房・地域熱供給］
［地域内電力送配電管制・VPP］
［地域運輸管制］
［スマートコミュニティー］

ESG投資

**Governance（統治）**
［法令順守］
［社外取締役の設置］
［ステークホルダーへの責任］
［情報開示］

**パートナーシップとSDG7とSDG13がすべてを支える**

パートナーシップ　エネルギー　気候変動対応

**図2－4－4　「SDGs達成・ESG投資」は新企業活動**

スをとりつつ一体でゴールへと進み続ける新しい枠組みの時代です。

　そして事業資金を調達しようという企業は、投資家や融資サイドより脱炭素計画作成、その進展をきちんと報告を迫られ、それが行われていない企業へは資金がどんどん届かない社会となり始めています。

　気候リスクは、マネージメントや経営のリスクであり、その対応が遅れると資金調達も危うく、企業価値の下落へと繋がります。ESG投資は決して社会貢献ではなく、社会、環境への投資でありリスク回避なのです。これから化石エネルギー資源から自然再生可能エネルギーへの急速な転換移行を求められ、これは巨大な投資分野と見立てられています。本節の最後に一言。東京大学・斎藤幸平准教授が言うように、SDGs は「アヘン」としてはいけない。脱炭素も同じことが言え、「自分事」として行動していただきたいのです。

# 3. 脱炭素への支援体制、メニュー概要

## 3−1. 脱炭素社会への地域転換は？

### (1) 推進課題

炭酸ガス削減の対応の遅れは、長期的に見ると地域衰退へ繋がり、企業経営の致命傷となります。脱炭素が重要政策、経営命題と理解されていても、全職員の理解が遅れているその専門部署すら無い、人手不足で兼務やその知識を有する人材不在、取り組み方策がよく分からない、何から手をつければよいのかなどの悩みを抱えている自治体や企業が大変多いのが実情です。

そのため、特に自治体の約85％を占める人口10万人以下の1,500自治体や全国総企業数の99％の約430万社、労働人口の約7割弱を占める中小企業などでは、なかなか温室効果ガスの削減事業に踏み込めません。

自治体や企業への国や県からの支援、助成も多いのですが、出先機関、県庁などにおいても、全く新しい前例のない慣れぬ新事業業務であることから担当者への負担増となっており、また地域、地域での担当者間でも事業に関する解釈も異なり、地域により取り組みが変わるケースもあります。脱炭素事業は中央官庁支援も各省庁に各種あり、どれに該当するかなど検討や調整も必要となります。

次に、脱炭素がどのように地方創生、まちの再生につながるのかを俯瞰、理解しないまま、何とか着手しようと無理に少数で、あるいは兼務で組織化し、府県、国へ事業申請もしたが選定されない、申請時

にこれでは不可とされ中止にというケースが東北や近畿の自治体で出ています。

　自治体は一番負荷のかかる「脱炭素先行地域づくり事業」申請を諦め、事業を絞り「重点対策加速化事業」へ切り替える自治体もあり、または様子見になっています。または、EV自動車と充電設備だけの１事業だけに絞り交付申請しようとすれば、民間との連携によるPPA事業やリース契約などと枠が決められ、ここで頓挫するケースも出ています。

　業務遂行のガイド資料などもかなり整備されていますが、分かりにくい点も多くあります。実施時にも上部組織から地域申請担当者へ不備箇所の書き換えや追加資料請求などのやり取りも発生し、作業も増えることが大変多いのです。

　それ以前に実務担当者は、役所内、地域や社内での慣れぬエネルギー関連基礎調査、蓄電池やマイクログリット、PPS事業、$CO_2$排出量計算集積やその見える化対応などの業務があります。そのためにはカーボンクレジット、カーボンオフセット、加えカーボンニュートラル、カーボンネットゼロ、炭素相殺、炭素中立、カーボンゼロなどと用語表現も省庁でも、書類などでも異なっています。例えば「ネットゼロ」は、スコープ１、２、および３の排出量をゼロにするか、もしくは適格な1.5℃軌道におけるグローバルまたはセクターレベルでのネットゼロ排出達成と整合する残余排出量水準にまで削減することが前提。ネットゼロ目標の時点における残余排出量と、それ以降に大気中に放出されるすべての温室効果ガス排出量を中和することが求められる。また、「カーボンニュートラル」は、ある一定期間に温室効果ガス排出の抑制や温室効果ガス吸収・除去等により排出量を削減し、残った排出量もオフセット等により相殺した状態を指す。このように何度か読まないと理解出来ない状態なのです。参考までISO14068-1は、この長期的な目標であるネットゼロに向けて、カーボンニュートラルの仕組みをいかに活用するかをガイドする規格で、温室効果ガス排出量

の定量化、削減、および相殺を通じてカーボンニュートラルの達成とその実証を行うための原則と要件を規定したものも発行され、見ておくことも必要でしょう。ネットカーボンゼロは、実質ゼロ、炭素中立、また脱炭素は完全炭素ゼロと勘違いを防ぐため炭素循環という表現も使われ始めています。担当者は新技術、脱炭素関連制度などの、地元産業界の理解も得る必要もあり、関連部署や外部との調整、構想計画策定、応募申請、新電力調達などと慣れぬなかでの膨大な作業量と時間を要し、遂行は難渋し荷が重いものです。従い、自治体の温暖化対応に携わってきた者から見ると、担当者に意欲があっても様々な面で厳しい現実に直面しています。政府が脱炭素を重視しているのなら自治体、企業の負担を減らすことと、脱炭素の加速化を狙い火急に中央官庁の一元統合、一本化し、「エネルギー・脱炭素社会庁」とでも名付けた機関を開設してはと考えます。なお、今後脱炭素化事業は30年は継続すると考えますと担当者が、数年での交代は事業遂行に支障を招きかねません。

　さらに地方自治体の温暖化防止対応は、自治体や産業・業務・運輸部門などの企業がそれぞれ行うものだけではなく、老若男女すべての住民、家庭も関係しますので、如何に市民を巻き込み、一体化して脱炭素を図るかとなります。急がば回れで、時間がかかろうとも住民との地道な対話が脱炭素化へ繋がり、ひいては生活の質やわずかでも経済面の向上となり、上野村のようにシングルマザーなどを含めて人の流入にもなります。

　家庭での脱炭素化対応は、細かな省エネ行動から始まり、省エネ型大物家電への買い換え、電気自動車への切り替え、太陽光発電導入や、蓄電池設置、住宅の更なる省エネ性能の向上などが関係します。すべてを実施するには多額の費用を要し、到底誰にでも直ぐ出来るわけでもなく、支援を受けようと思うなら申請業務も発生します。これらの対応をする人材も必要となります。

## (2) 市町村の業務

　国は温室効果ガスの排出量削減と吸収作用の保全及び強化のための
措置に関し計画策定を全自治体へ義務付けて（努力義務含む）います
が、見直し修正が必ず出て来ます。それは、計画策定などでも地域、県、
国の統計表などからの推定値のどれを使って推計値とするのか、そし
て温室効果化ガスの排出量の積み上げ算定法も異なり、統計数値を按

### 表3－1　省エネの基本：行動と設備

| 設備、クールビズ | 行動と心がけること |
|---|---|
| スイッチ | こまめに切る |
| プラグ | 不要時（待機電力削減）はプラグを抜く |
| 照明器具 | LED電灯に交換 / こまめに切る / 器具の清掃 |
| エアコン | ２週に１回フィルター掃除 / 室外機周辺に物を置かない　風向は水平に / 風量は最適を探して / 冷房時扇風機 / 併用窓に日よけを / 頻繁な調整より自動運転で |
| テレビ | 見ない際は主電源を切る / 画面は明るすぎない |
| トイレ | 温水洗浄便座フタを閉める / 使用ペーパーは１m以内に |
| 洗濯機 | まとめ洗いで回数を減らす |
| 窓 | ガラスに暖熱シートを / 複層ガラスへ変更や内窓設置 |
| カーテン | 厚手の生地に / 暖熱、遮光カーテンに / ブラインドをつける　屋外側に緑の植栽（ゴーヤなど）を |
| 服装 | 冬期は生姜などで体を温める食材を / 首、手足首を暖める / 夏期は軽装を / 適度な汗をかく / 適度に水分補給 |
| 移動手段 | 交通機関優先 / 自動車は相乗りを / 自転車活用 / 徒歩も |
| 自動車 | ハイブリッド、EV車を / スタートは20km/hr 程度に（燃費は10％改善）/ 加減速の少ない運転（2～6％改善）/ アイドリングは止める / タイヤ空気圧を適正値に / 不要荷物は降ろす |
| ワットアワーメーター | １万円以下で購入し、消費電力を測り消費電力を意識する |

分するなどの難しい作業が求められます。按分推計値算定のツールやマニュアルもありますが、まだまだ自治体等で使いこなせるほどのものにはなっていません。

　また温室効果ガス削減は、国全体、地域全域での排出削減でなければ、温暖化ガスのじゃじゃ漏れで、温暖化防止の意味合いは半減以下になるのです。ですから、他地域や企業での脱炭素事業などとも連携することも視野に入れた方が宜しいでしょう。付け足しますと、このことは全世界でも同じことですから、脱炭素は如何に困難な「世界的規模での大命題」だということがお分かりでしょう。

　地域内の小さな特定エリアだけモデルとして実施しても、それを全地域脱炭素化へ展開するには、更なる国や県の支援、資金活用は容易なことではなく自己負担が大きく増えます。そこで、全体を考慮したビジョン、段階的完遂計画が先ず必要となるのです。

　ここで頭休めに、家庭での節約省エネの第一歩の手がかりとして、**表３－１**「省エネ基本：行動と設備」も参考にしてください。

## (3) 温暖化対策の推進方策

　大まかな取り組みの最初は、自治体も企業も同じで、取り組み主体者のトップ自身が関係する方々すべてを想定し、バックキャスティングで５年先、10年先を考えての明快、簡潔な「ビジョン策定」から始まります。しかし、首長、社長が気候変動を深く認識し、この危機状況を自治体の、事業への「変革の開始」にと心底思い長期間対応を図るなら着実に対応事業は進むでしょう。中途半端なトップダウンでは、成し遂げられません。

　ビジョンは庁内、企業内の全員、自治体住民、地元企業へも、企業は川上、川下関係者すべてに示し、内容を明確に分かるように説明する必要があります。

　同時に担当は、国の脱炭素方針、計画や施策、実施による温室効果ガスの削減支援、助成関係を調べつつ同時に地域内企業や家庭などへ、

企業は加えてサプライチェーン関係者へ協力要請をします。

　そのためには、自治体でも企業でも、各町内会や各部署へこまめに前述のビジョンの「出前説明会」を繰り返し徹底して行い、なぜ脱炭素化なのか、この実施で皆さんの出費もあるがこのような良いこともあると説明し、同時に住民、ステークホルダーの意向も汲み上げて「町と住民と地元企業の役割と責任」を正しく明確にします。

　それらを繰り返し行うことが、町全体、企業全体が、深い対話の上で関係者すべての協力を得て一体化し前進します。これらがなければ、住民は役所任せ、庁内も担当部署任せとされ、担当者は苦労した上、不満や協力も得られない状況が生まれます。企業も同様です。

　多くの自治体では、一様に「人口減少、少子高齢化、地域経済の衰退」の三大課題を抱えるなかで温暖化対策を遂行せねばなりません。

　自治体では、エネルギー購入で、地域経済の5〜10％ものお金が地域外へ流出している、この大きな金額を地域内で活用出来るなら、暮らしも変わり、地域の再生、事業と雇用の創出、住民、社員にも希望が湧き、道を拓きやすくなります。

　さらに、「エネルギーと地域の暮らしを合わせたまちづくり」を行うことが必要です。それはSDGs、ESG投資の項の第1部の**図2−4−3**でもご理解いただけると思います。「まち・ひと・しごと」は3点セットと考えられ、その中心をなすのが脱炭素事業です。これらのことを住民会合などで丁寧に分かりやすく対話を交わし、省エネや再エネ導入を呼びかけることで、大きく住民の意識は変わり、協力が得られると考えます。担当の方々には、多様な方々相手に幅広い重要な大仕事となります。企業の場合は経営数値に明瞭に影響が出るのでもっと社員、他関係者は納得するでしょう。

　ここで漸く、皆と情報共有が出来、脱炭素への更なる協力を得て、自治体と民間連携による明確で適正な脱炭素対象の目標・範囲、その着手順位の協議設定、太陽光設定なら日照時間、屋根の状態、ソーラーシェアリングの可能性、また水系、風況、森林利用可能性・課題など

詳細で具体的な調査や実績値や推定値把握と炭素削減目標を定め、達成期限などの計画と実行プラン作成が行えると考えます。そのためには、担当者は、もう一度「出前実行プラン説明会」をせねばならないでしょう。必ず双方に齟齬、勘違い、思い込みが出るからです。そこで修正、意思疎通の確認をしながら進めることが大切です。なお、出前説明会には、担当者のみならず、地区内の先生、大学生や住民のボランティア、NPO（特定非営利活動法人）などの協力、活用も場面場面で考えると良いでしょう。それにはわずかでも経費計上も重要です。

　説明会以外の細かい点の概要は、

①**現状把握**：庁舎など公共施設、企業保有施設、場合により家庭などでの使用電力量と熱関係の化石燃料使用量と使用状況、$CO_2$ 排出量把握計算[*30]

②**地域内資源**：自然や再エネの賦存量と利用可能量の調査確認

③**所有車両**：燃料消費量、使用形態などの調査、EV と充填設備など

④**脱炭素導入施設**：現在量確認、導入可能性、最適化や ZEB 化可能な建物、場所の調査

⑤**電気**：既存の太陽光、水力、陸上・洋上風力、バイオ資源活用（生ゴミや畜糞などのバイオガスや木質ガスでの発電）地熱・温泉熱活用検討

⑥**熱**：太陽熱、地熱・地中熱・温泉熱・工場排熱など、さらにバイオガス、木質燃焼、木質ガス活用可能性検討

⑦**⑤⑥の導入最適地**：自治体や企業の状況にあわせた規模や機種の最適化検討と、用地選定検討

⑧**専門的知識**：小中規模町村では、県内の大学、公的研究機関など、または専門性を有する省エネセンターや技術士協会、他社団やNPO（著者は幾つかの団体と関係実施）、ないし専門コンサルタン

---

[*30] これは大変難しい作業で、国の統計資料よりも東北大学中田俊彦教授などが書かれた4DHガイドブック・スマートエネルギーシステム編「脱炭素に向けた地域エネルギーシステムのデザイン手法」を活用ください。

トと協働推進することを検討

⑨**脱炭素化事業とまちづくり**：自治体は当然、企業も地方創生と直結させることが重要で、内閣府地方創生ゼロカーボン事業の「地方創生ゼロカーボンシート」なども１回は見る。大手業務スーパー企業が、パッケージ型地熱発電事業による町おこしの開始事例もある

⑩**ステークホルダー１**：脱炭素関連一大事業を住民、地元企業などへ説明し、納得理解、協力を得ながら進めることが大きなポイントで個々の便益に寄与するのかどうかも含め確認、認識いただくような作業は不可欠

⑪**ステークホルダー２**：地域内、社内での事業の啓発普及をさらに深め、地域の特性、特色、状況も良く考え合わせてステークホルダーとの一層の一体感化を醸成、調整、協力を如何に得るかに知恵を使うことが成功の鍵

⑫**最後の評価**：最初から考えて置く。エネルギー（化石燃料）起源 $CO_2$ 排出量の地域特性を分析し、産業部門、業務部門、家庭部門、運輸部門の部門毎に地球温暖化対策・施策の優先順位をつけ、個別の具体的な対策・施策目標を設定の上、評価の内容項目を考えておき評価することが大事

これらのことは民間も同じことで、広範囲な業務、力仕事ともなり、具体的には「調査、検討、申請、実施」「資金手当（公的支援含め）」「進捗と評価」についての事柄は、第２部以降の「ビジョン編」「計画編」を参照してください。

## 3-2.  国の脱炭素支援

１番目に、国が力を入れる政策を知るにはまず大まかに環境省**「脱炭素支援サイト（エネ特ポータル）」**をご覧いただくことが良いでしょう。そして、国・地方脱炭素実現会議「地域脱炭素ロードマップ」を

読んでおくのも良いでしょう。

　そこには、これから脱炭素に取り組もうとする全自治体、企業の方々の参考となる「脱炭素地域づくりの始め方、地域脱炭素の取り組み事例、脱炭素化事業一覧」などが出ており、第一歩を踏み出すには適切で、地域脱炭素に取り組む意義、地域脱炭素の趣旨、それが目指すものが出ています。

　環境省の重点事業では「地域脱炭素移行・再エネ推進交付金」があり、「脱炭素先行地域づくり事業」と「重点対策加速化事業」の二つの事業があります。また、脱炭素先行地域に選定されている地域は、「特定地域脱炭素移行加速化交付金（マイクログリッド関係）」を利用できます。ここで、企業の方は補助金と交付金の違いも知っておきましょう。

　補助金は、国が、目標とする政策の目的を達成のために税金を使い、「公益性」が高い事業に交付されます。主に事業に対して自治体や企業を支援する制度です。企業などへは自治体経由での支援となります。助成金は、主に雇用や人材育成など「人に関する」ものを指します。正社員の雇用や女性・高齢者の就業促進など、雇用に関する課題の実現に取り組む事業者に対して、一定額を助成する制度です。このなかでも脱炭素や環境関連の項目を見出し活用したいものです。参考までに**表３－２**を見てください。

　「脱炭素先行地域づくり事業」は、脱炭素の先行事業実施を目指す地域を対象に交付され、自治体が全地域、あるいは他自治体のモデルとなるような特定の地域を選び出し行います。それには、国が定めた基準モデル特性に合わせた地域での脱炭素事業案を民間共々考え応募するものです。交付金は複数年にわたり、これまでに74自治体が選定され次回は第5回目となり、少なくとも合計約100カ所を目処にモデルとする環境省の大事業です。後の約1,600地方公共団体はそのモデルに学び、速やかに脱炭素地域社会形成に取り組むよう求め、2050年を待たずにこのドミノ倒しで脱炭素地域社会を全国で実現させると

### 表3−2　補助金と交付金補助金と交付金

| 項目 | 補助金 | | 交付金 |
|---|---|---|---|
| | 補助金 | 助成金 | |
| 支給対象 | 特定事業 | 特定目的<br>（投資・支出） | 一定事業 |
| 支給元[*1] | 国・地方公共団体<br>各種団体 | | 国<br>地方公共団体 |
| 受給者 | 地方公共団体<br>企業　各種団体 | | 地方公共団体、企業、<br>団体、個人 |
| 審査 | 要 | 不要<br>申請必須 | 要<br>申請必須 |
| 金額[*2] | 1千万円以下から億単位まであり | | 億単位まであり |
| 補助率[*3] | 1/3〜2/3, 1/2 | | 1/3〜2/3, 1/2 |
| 期間 | 1,2年が多い | | 複数年が多い |

[*1]　地方公共団体へは国。企業へは国、地方公共団体を経由が多く、補助金は
　　　これに各種団体よりがある
[*2]　事業により補助率は変わる
[*3]　返済はすべてに関し不要

いうものです。なお、モデルについて書き加えると自治体が選定する
モデル対象地区は、国が想定する四つの対象モデルから選び決める必
要があります。

　なお、脱炭素先行地域づくり事業はハードルの高い条件や規程が多
く、広く一般のこれから取り組む自治体には選定されるのは困難を伴
い、本書第2部でも詳細説明を省きました。

　大都市での先行モデルは、太陽光発電設備設置とEV導入運営シス
テムと不足分再エネ量の地方での余剰量調達の3点が多く、全く知恵
の無いものが多くあります。ですから大都市より、もっと20万人都
市程度以下をモデル化する方がよほど脱炭素化が促進すると考えま
す。

　前述の「重点対策加速度化事業」は「再エネや蓄電池、EV、熱利
用設備、住宅・建築物の省エネ性能向上、高効率給湯器」等の複合的

に推進実施する自治体への交付で、自治体で活用並びに自治体経由で個人や企業へ支援するものであり、幅広く活用出来ます。しかし、これもこれまでハードルが低く、申請すれば採択される状況でしたが、今後は予算の制約で、採択数は限定的になる恐れがあります。新年度事業の開始前（１月ごろ）に自治体に対して行う支援事業への取組意向に関するアンケートで環境省へ意向を表明していないと優先順位が下がるようです。これも政府 GX 政策の方向性が間違えていることで環境省事業へ予算が廻らないのが原因ではないでしょうか。

　環境省「**脱炭素地域づくり支援サイト**」や「**地域脱炭素プラットフォーム**」には、地方公共団体連携や地域脱炭素連携企業、アドバイザーなどが掲載されています。しかしいずれも登録数は少なく、今後の充実が課題だと個人的には考えます。

　２番目に、手っ取り早く「温暖化対策の支援制度」を知るには、環境省「**地域脱炭素の取り組みに対する関係内閣府６省庁の主な支援ツール・枠組み**」（2023 年 7 月）が大変理解しやすいと思います。これは 252 ページ、157 事業にわたり整理された取り組みやすいガイドブックです。また、自治体、民間、個人にも分かりやすく活用出来るもので、その内容は下の通りです。
　① 各省庁別に記載
　② 事業名称
　③ 支援種別としてハード、ソフトに分かれている
　④ 支援対象は、自治体・法人等、個人の３項が表記
　⑤ 事業の概要は 52 頁、詳細は 176 頁にもわたり記載
　さらに全事業は環境省：42 事業、内閣府：9、総務省：12、文科省：5、農水省：25、経産省：17、国交省：47 の順に記載されています。

　３番目は、やはり経産省関係では、令和５年３月版「**エネルギー・**

**温暖化対策に関する支援制度」**があります。これに関する補助金ガイドブックも出ています。ここでも検索しやすいように

① 5省庁別

② 再エネ全般、太陽光、風力、水力・小水力、地熱、バイオマス、省エネ（37件あり）、再エネ・省エネ、水素・アンモニア、モビリティ、石油・天然ガス、素材・材料、廃棄物、その他と上記項目別に記載

③ 調査から始まり、技術開発、実証研究、導入補助、啓発、税制、利子補給などとフェーズ毎に掲載

④ 対象事業者別の、地方公共団体、法人、個人で表示された分かりやすいもの、続いて事業毎に、⑤内容、⑥スキームが出ています。

そこには、

A：事業補助金名称　予算額　B：問い合わせ先　C：フェーズ

D：年度募集期間　E：事業の内容

F：事業スキーム（対象者、対象行動、補助率等）　G：成果目標

が書かれています。

　また利用側からすると、洋上風力などは環境省と経産省が、バイオマスも環境省と農水省と同一事業を扱っているケースも多く、また省庁連携というケースもあります。理由もあるのでしょうが少々煩雑で、エネルギー関連と脱炭素は一元化された庁省設立を望みたい次第です。


　4番目は、脱炭素関係事業は、広範囲で金額も大きな事業であり、ガイドブック、マニュアル、手引き書がいくつも出されています。主なものでは、令和5年3月に環境省が**「地方公共団体実行計画（区域施策編）策定・実施マニュアル（算定手法編）」**を発表しました。この読み込みは大切です。既に自治体関係者は読まれているでしょうが、最新版のチェックは必要です。また、企業の方が読まれても得ることの多いのも特徴といえ、これらがすべて仕事の出発点となると考えま

す。

　5番目は、計画、実施の基礎となる現状の「温室効果ガス排出量調査」は、「自治体温室効果ガス排出量推計の前提条件のホームページ」や環境省の「自治体排出量カルテ」、経産省、環境省の「産業部門別炭酸ガス排出量算出方法」などといろいろ資料がありますが一度目を通し、利用しやすいものを選んでください。

　森林面積が自治体総面積の半分以上のところは、林野庁、環境省、国土交通省からの「区域森林全体（森林と都市緑化）の $CO_2$ 吸収源による温室効果ガス吸収量推計関連資料」も見ておく必要があります。最新資料ではありませんが国土交通省「低炭素まちづくり計画作成算マニュアル」や環境省の「日本国温室効果ガスインベントリの方法に準ずる手法」などが参考になります。

　上記はいずれも慣れない方には、理解、実施活用には大変苦労しますが、これを含めて温室効果ガス排出量計算、他脱炭素、省エネ、再エネ、脱炭素事業推進などについて、官庁、民間でも解説、説明会や勉強会、フォーラム、種々イベントも開催されており、ここで学ぶことや、総務省などの環境アドバイザー、他専門コンサルに相談される、環境省「脱炭素ポータル」での情報を得ながら検討するのも良いのではないでしょうか。

　また参考までに、中小企業の方は環境省が**「中小規模事業者向けの脱炭素経営導入ハンドブック～これからの脱炭素化へ取り組む皆さんへ」**とその「事例集」、一歩進めて、「中小規模事業者向けの脱炭素経営ハンドブック―温室効果ガス削減を達成するために」と「中小企業等のカーボンニュートラル」などと多く出しています。

　いずれにしても脱炭素先行地域づくり事業、重点対策加速化事業は、事例のない初めての多岐にわたる複合事業を束ねる壮大なプロジェクトと言えます。しかも長期間にわたり、準備、外部折衝、調査、企画・

計画、多岐にわたる事業金額の積み上げ、申請業務を経て、漸く選定、認可を得る金額も大きなものです。さらに一歩踏み込むと仕様書、発注書などの作成から始まり、事業管理をどうするか、プロジェクトのマネージメントをどうするかが大きな課題で、事業開始時点で考えておかねばならないことです。その上それを自治体側で行うのか、事業別にメーカー、エンジニアリング企業、第三者的コンサルタントに任せるのか、それらの総合マネージメントはどうするのかなど重要な課題が出てきます。人材がなかなか得にくいのですが、自治体側の目線で職員とともに仕様を決め、発注業務は職員補佐、マネージメントも行い、個別事業間のスケジュール管理などを行なえる「オナーズエンジニアリング」の出来る方を準職員として契約し責任を持ちプロジェクト遂行していただくやり方もあります。そして最後には評価報告も必要となります。

　ここで再度、脱炭素事業を進める目的とその注意点を挙げておきます。

【目的】

○1　無論、自治体管轄エリア全域での先ずは、2035年脱炭素化率60％、2050年カーボンニュートラル達成促進

○2　脱炭素を全市民に理解いただき、協力を得る

○3　地域外への流出エネルギー費用を削減し、地元金融を活用し脱炭素で雇用所得を増やし、稼ぐ地域づくりを行うと同時に地域外からも稼げる脱炭素地域づくりを

○4　地域とつながり安心して働き暮らせ、若い世代を呼び込み人口増を

これは、企業でも全く同じと考えます。


【注意点】

＊1　脱炭素知識取得、地域状況の俯瞰、実情把握

＊2　地域住民、企業、他部門を巻き込み、自分の部署だけでは進め

ない

＊3　地域課題抽出、計画づくりを大都市コンサルや外部事業者に丸
　　　投げ不可

＊4　努力して、再エネ設備、省エネ対策の発注は地域内、あるいは
　　　近隣自治体や外部と地元の組み合わせを考える（例えば木質バ
　　　イオマス燃料は約30km圏以内から調達、共同再エネ電力会社
　　　設立など）

＊5　脱炭素、まちづくりに貢献しない目立ち、見栄えのする施設の
　　　導入などは計画しない

＊6　ポイントは数値ありき、定量的計算をし、施策をたてる

＊7　交付金、補助金の費用対効果を必ず検討して補助事業選定、着
　　　工

＊8　計画進捗に応じた評価と軌道修正は必須

＊9　未完成技術、先の遠い技術は採用しない、必ず実績重視　公平
　　　性保持

＊10　老朽化施設を調べ上げ、更新計画と連動した事業導入をする


　環境省「脱炭素先行地域づくり事業」に採択された案件は、自治体
内の一地区を選定しての事業がほとんどです。それでは脱炭素化の一
部分だけのものです。本書では「全自治体エリア」を対象に取り組ん
でいるモデル事例がより参考になると考え、それを紹介、解説してい
ますので、脱炭素化を目指す自治体、企業の方、場合により市民の方々
にお読みいただけることを期待しています。

# 第2部

# ビジョン編

# 4. 将来像としてのビジョンづくり

　国がカーボンニュートラル[i]を宣言した2050年までには、まだ四半世紀以上あります。このため、再エネコストの更なる低下や新たな技術革新など様々な変化により、カーボンニュートラルを達成できる可能性がある一方、現時点では不透明な状況にあると言えます。

　脱炭素ビジョンの目標年は、ゼロカーボンをゴールとすれば、2050年となりますが、本書では（不満もありますが）2040年を見据えた2030年を目標年として策定する場合を想定します。

　目標年を2030年としたのは、脱炭素に関する政府目標が明示されており、取組みについてイメージしやすいことが理由です。そして先ずは、全国の市町村が2030年までに現実的に実現できる脱炭素対策に取組み、実績を積み上げることが重要だからです。

# 4−1. 脱炭素ビジョンは、地方創生の視座が重要

　脱炭素ビジョンは、市町村が目指す地域脱炭素の将来像です。

　脱炭素ビジョンと関連の強い計画には、市町村の行政区域全域を対象とする地球温暖化対策実行計画（区域施策編）（以下、区域施策編）があります。

　ここで、地球温暖化対策実行計画のおさらいをしましょう。地方公共団体が策定する地球温暖化対策実行計画には、「事務事業編」と「区域施策編」の二つがあります。

　「事務事業編」は、地方公共団体の事務事業が対象範囲で、すべての地方公共団体に策定が義務付けられています。

　一方、「区域施策編」は、策定義務はありませんが、2021年5月に改正され、2022年4月より施行された地球温暖化対策の推進に関する法律（以下、改正温対法）により、その他の市町村も努力義務となりました。

【地球温暖化対策実行計画】

・事務事業編　　すべての地方公共団体に策定義務あり

・区域施策編　　都道府県・政令指定都市・中核市に策定義務あり
　　　　　　　　その他の市町村は努力義務

---

事務事業編：地方公共団体の事務事業に伴う温室効果ガスの排出量の
　　　　　　削減並びに吸収作用の保全及び強化のための措置に関す
　　　　　　る計画。

※吸収作用は、森林や都市緑化などを指します。

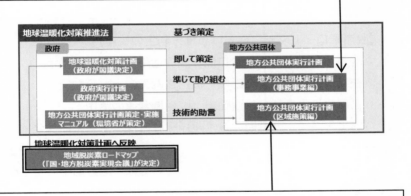

区域施策編：地方公共団体の自然的社会的条件に応じて、温室効果ガ
　　　　　　スの排出量削減等を推進するための総合的な計画。

**図4－1－1　地方公共団体実行計画と関連する法令・計画等の関係**

資料：環境省地球温暖化対策課「改正地球温暖化対策推進法の概要」
　　　（2021年10月）に加筆

改正温対法の背景を知るため、地域脱炭素ロードマップの概要を確認しましょう。

　改正温対法が成立した2021年5月に続き6月には、地域における「暮らし」「社会」分野を中心に、生活者目線での脱炭素社会実現に向けた工程と具体策を示す「地域脱炭素ロードマップ」が国・地方脱炭素実現会議により策定されました。

　「地域脱炭素ロードマップ」のサブタイトルは、「地方からはじまる、次の時代への移行戦略」であり、「脱炭素は、地域課題を解決し、地域の魅力と質を向上させる地方創生に貢献」が、キーメッセージとなっています。

---

【脱炭素ロードマップにおける地方創生の視座】
○経済・雇用：再エネ・自然資源の活用による地産地消
○快適・利便：建物の断熱・機密性能の向上、公共交通
○循環経済：産業の生産性向上、地域資源の活用
○防災・減災：非常時のエネルギー源確保、生態系の保全

---

　このため、脱炭素ビジョンの作成においては、地方創生の視座が重要なのです。

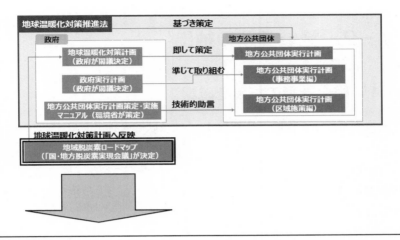

「地域脱炭素ロードマップ」のキーメッセージ
「脱炭素は、**地域課題を解決**し、地域の魅力と質を向上させる**地方創生に貢献**」

| | |
|---|---|
| **経済・雇用**<br>再エネ・自然資源<br>地産地消 | **快適・利便**<br>断熱・気密向上<br>公共交通 |
| **循環経済**<br>生産性向上<br>資源活用 | **防災・減災**<br>非常時のエネル<br>ギー源確保<br>生態系の保全 |

✓ 我が国は、限られた国土を賢く活用し、面積当たりの太陽光発電を世界一まで拡大してきた。他方で、**再エネをめぐる現下の情勢は、課題が山積**（コスト・適地確保・環境共生など）。国を挙げてこの課題を乗り越え、**地域の豊富な再エネポテンシャルを有効利用していく**

✓ 一方、環境省の試算によると、約9割の市町村で、**エネルギー代金の域内外収支は、域外支出が上回っている**（2015年度）

✓ 豊富な再エネポテンシャルを有効活用することで、地域内で経済を循環させることが重要

**図4−1−2　地域脱炭素ロードマップの概要**

資料：国・地方脱炭素実現会議「地域脱炭素ロードマップ【概要】
　　　（令和3年6月9日）を基にH＆A環境計画 加筆

# 4-2. 地域課題の抽出

## （1）総合計画の施策を確認

脱炭素ビジョン作成の第一歩は、「地域課題の抽出」です。

「地域脱炭素ロードマップ」のキーメッセージでも、「脱炭素は、地域課題を解決し、地域の魅力と質を向上させる地方創生に貢献」と、地域課題の解決が主目的となっています。

では、地域課題をどのようにして把握したら良いでしょう？

先ずは、市町村の行政運営で最上位の計画である総合計画について、基本計画の主な施策を確認します。

総合計画は、市町村の将来目標や施策を示し、住民、事業者および行政が行動するための概ね10年間の基本指針となるものです。計画の前段で、地域の現状と課題を網羅的に整理しているので、体系的な施策の確認が可能です。

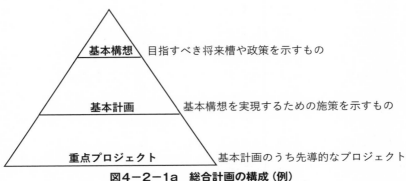

図4−2−1a　総合計画の構成（例）

基本構想　10年

基本計画　前期5年　　基本計画　後期5年

重点プロジェクト　5年　　重点プロジェクト　5年

図4−2−1b　総合計画の期間（例）

右に示すのは、上野村の総合計画における基本構想と基本計画の体系概念図です。他の市町村の体系も、概ね共通した形でしょう。

　基本構想は、基本理念達成のための基本目標を複数設定し、それぞれに対して基本方針を定めています。

　基本計画では、基本構想の基本方針ごとに、「現状・課題」と「主な施策」を具体的に定めています。
　このため、「地域課題の抽出」に当たっては、先ずは基本計画の「主な施策」を確認します。

　「主な施策」の確認は、脱炭素に関連するものに限定せず、網羅的にすべての取組みを対象とします。
　なぜなら、先ずは地域課題を抽出することが目的だからです。

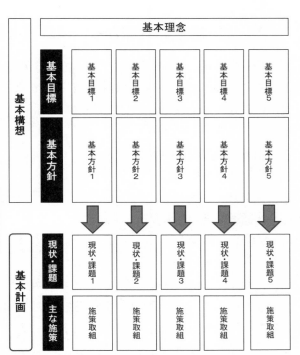

基本構想の基本方針
ごとに、「現状及び
課題」と「主な施策」
が整理されている

図4-2-2　総合計画における基本構想と基本計画の体系例
（群馬県上野村）

## （2） 地方創生の視座から地域課題を抽出

　総合計画の基本計画における「主な施策」の取組内容を確認できたところで、次に 131 ページの**図４－１－２**で示した地方創生の四つの視座により、地域課題を抽出します。

```
地方創生の四つの視座
①経済・雇用
②快適・利便
③循環経済
④防災・減災
```

　具体的には、基本計画における「主な施策」を四つの視座に分類して、現時点における施策取組の達成度を３段階で評価します。そして、達成度の低いものから地域課題として抽出します。

　目指す将来像（ビジョン）と現状との乖離（ギャップ）が、地域課題であり、抽出された地域課題を解決した姿こそが、当該市町村の脱炭素の取組みにより目指す姿、すなわち脱炭素ビジョンとなります。
　上野村の例では、すべての「主な施策」の達成度を考慮し、地域課題は、以下の四つに集約されました。

```
課題１　林業の再生
課題２　再エネを活用した災害に強い村づくり
課題３　公共サービスの持続
課題４　移住から定住へ
```

### 表4-2-1 総合計画の基本計画における「主な施策」の達成評価（例）

| 基本構想 | | 基本計画 | 地方創生の視座 | | | | 達成度 |
|---|---|---|---|---|---|---|---|
| 基本目標 | 基本方針 | 主な施策 | 経済・雇用 | 快適・利便 | 循環経済 | 防災・減災 | |
| 豊かな資源と暮らす村 | 豊かな資源の活用・継承 | 村内資源の循環利用の推進 | | | ○ | | 2 |
| | 資源を活かした村の魅力向上 | 森林資源を活かした環境観光展開、雇用創出 | ○ | | ○ | | 1 |
| | | 自然体験やアウトドアスポーツの推進 | ○ | | ○ | | 3 |
| 魅力を伸ばし愛着をもって暮らす村 | 交流促進、人材育成による魅力向上 | 交流サービス事業と関連産業の活性化 | ○ | | ○ | | 2 |
| | | 交流機会の拡充と感染症対策の両立 | ○ | | ○ | | 2 |
| | | 人材育成 | | | ○ | | 2 |
| | 快適な暮らしの環境整備 | 交通利便性の向上、交通ネットワークの拡充 | | ○ | | ○ | 2 |
| | | 住環境整備 | | ○ | | ○ | 2 |
| 目標3 | ・・・ | ・・・ | | | | | |
| 目標4 | ・・・ | ・・・ | | | | | |
| 目標5 | ・・・ | ・・・ | | | | | |
| 目標6 | ・・・ | ・・・ | | | | | |

注：1）総合計画は群馬県上野村の例で達成度は仮の数値
　　2）達成度2は計画通りの進捗、遅れている場合は1、進んでいる場合は3とする

# 4-3. 地域課題の解決策に資する脱炭素対策を選定

地域課題が明確化できたところで、次は、地域課題の解決に資する脱炭素対策を検討します。市町村が対応（間接的な誘導を含む）できる脱炭素対策は限定的なため、市町村が取組み可能な脱炭素対策は、以下の四つに分類できます。

①省エネルギー（住宅の断熱・蓄熱〔ZEH[ii] 化〕、産業の省エネ）
②再生可能エネルギー（太陽光・風力・中小水力・太陽熱・
　バイオマス　等）
③エネルギーの電化（化石燃料（石炭・石油・LNG）から電気へ）
④運輸部門のモビリティの EV 化

これを主体別（部門別）に整理したのが、**表4-3-1**に示す脱炭素対策の概要です。ここで示した脱炭素対策は、共通の標準対策なので、これに市町村固有の課題に対応した取組みに肉付けしていくことが必要です。特に再エネは地域資源に依拠する地域固有のものなので、地域の独自性を打ち出すことが可能です。

**表4-3-2**は、地方創生の四つの視座と脱炭素対策の例です。こちらも脱炭素対策とカッコ内の地域効果は、標準的な内容なので、市町村で既に取り組んでいる、または取り組もうとしている施策を反映することにより、独自性を打ち出すことが重要です。

### 表4-3-1　部門別（主体別）の主な脱炭素対策の概要

| 部門 | 脱炭素対策 | | | |
|---|---|---|---|---|
| | 省エネ | 再エネ | 電化 | EV化 |
| 産業 | 省エネ性能の高い設備・機器の導入FEMS（エネルギーマネジメントシステム） | 太陽光発電 ボイラー等の熱供給設備の再エネ化（バイオマスボイラー等） バイオマス等のコジェネ設備の導入 | 蓄電池 ボイラー等の熱供給設備の再エネ化（バイオマス・コジェネの廃熱利用、地中熱ヒートポンプ等） | 運輸（貨物に含む） |
| 業務その他 | 建築物・住宅の省エネ対策（ZEB<sup>iii</sup>推進等）LED等機器の省エネ | | | 運輸（旅客に含む） |
| 家庭 | エネルギー管理の徹底(BEMS<sup>iv</sup>、省エネ診断) | 太陽光発電 太陽熱温水器 | 蓄電池 | 運輸（旅客に含む） |
| 運輸 | 交通流対策の推進 エコドライブ 公共交通機関の利用促進 モーダルシフト | | | EV（燃料電池車含む）の普及 |

### 表4-3-2　四つの視座と脱炭素対策の例（地域課題との結び合わせ）

| 視座 | 脱炭素対策（効果） |
|---|---|
| 経済・雇用 | ・再エネ導入（設備導入に加え、維持管理に関わる農林業等の再生）<br>・再エネ導入（ゼロカーボン化による交通・観光関連産業の振興）<br>・省エネと再エネ導入による光熱費・燃料代の削減分を原資とした新たな産業振興 |
| 快適・利便 | ・省エネ対策（高断熱による快適な就労・住環境）<br>・再エネ導入（エネルギーコスト増に影響を受けない安心感）<br>　　　　　　（ゼロカーボンの公共交通サービス） |
| 循環経済 | ・省エネ対策（光熱費・燃料代の削減）<br>・再エネ導入（光熱費・燃料代の外部流出を防ぎ内部経済化） |
| 防災・減災 | ・再エネ導入（自立・分散型のエネルギー供給システム） |

地域課題と脱炭素対策（取組方針）を結び合わせた具体例として、上野村の例を見てみましょう。

　上野村の地域課題は、以下の四つでした。

---

課題1　林業の再生
課題2　再エネを活用した災害に強い村づくり
課題3　公共サービスの持続
課題4　移住から定住へ

---

　図4－3－1には、上野村における地域課題と脱炭素対策（取組方針）を示しています。四つの課題それぞれについて、課題とした理由を箇条書きにまとめ、その課題に対応する取組方針を述べています。

　課題1の林業の再生は、137ページの「表4－2－1　総合計画の基本計画における「主な施策」の達成評価（例）」で達成度2であった施策取組み「村内資源の循環利用の推進」が課題の一つとして該当します。
　取組方針には、従来から取組んでいる木質ペレット生産を取り上げ、生産拡大と安定供給を方針としています。

　同様に、課題2は「主な施策」の達成評価を根拠として、「再エネを活用した災害に強い村づくり」を地域課題としています。こちらは災害対策として、2020年度より経済産業省の事業で取組んできた「地域マイクログリット構築事業」を方針に取り上げています。

## 【課題１】林業の再生
- 総面積の95％を占める森林
- 現状に加え、さらに手つかずの資源が存在
- これらの未利用の木材・木質バイオマスをすべて利活用する方策の検討が重要

### 取組方針
- 森林資源の最大活用や再エネの地産地活と域内経済循環の向上のためにペレット生産を拡大し、再エネ原材料の安定的な供給源とする
- 併せて、ペレットだけでなく広葉樹をチップ燃料として活用

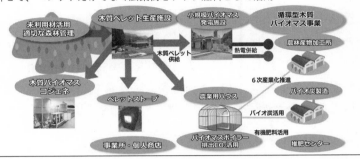

## 【課題２】 再エネを活用した災害に強い村づくり
- 脆弱なアクセス道路
- 高齢化率が45％を超える状況で自主防災には限界
- 地域マイクログリッドv事業による地域防災力の強化
- 全村エリアにおける災害に強い村づくりが必要

### 取組方針
- 自家消費型の木質バイオマス熱電併給設備と太陽光発電の最大限の導入によるレジンス強化
- 非常時に備え地域マイクログリッドを全村に展開

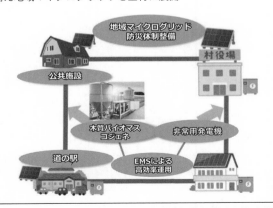

**図４－３－１　上野村における地域課題と脱炭素対策（取組方針）その１**

課題３と課題４は、取組方針の内容に共通点が多く、二つの課題解決への取組みは相乗効果が生まれることから、一つにまとめています。

　課題３のこれまで取り組んできた手厚い教育並びに高齢者福祉サービスの維持管理により、総人口の２割に達する移住者を定住者に誘導する取組方針としています。

　住環境整備として掲げている全世帯への太陽光発電と蓄電池の導入については、上野村村内の日射条件や住宅の建築年数を考慮し、屋根置きが困難な住宅には、カーポート型太陽光発電と蓄電池を導入しつつ、LED 照明などの省エネ対策も講じていく内容としています。

## 【課題3】公共サービスの持続

- ・教育並びに高齢者福祉サービスの維持管理コストの負担増加
- ・すべての公共施設における再エネ・省エネによるエネルギーコストの削減
- ・全村の環境意識の向上を目指すことが必要

## 【課題4】移住から定住へ

- ・村の魅力度・満足度を上げ、定住へ繋げることが課題
- ・エコな暮らしにこだわった環境面での取組みのアピール

## 取組方針

- ・再エネ、省エネ、蓄電を集約したゼロカーボンのシンボルとなる役場庁舎（木造）の建替え
- ・公共施設と村営住宅には、全数に太陽光発電と蓄電池をセットで導入するとともに、省エネ支援を行う
- ・日照条件や屋根の耐荷重等により屋根置きの太陽光発電の導入が困難な住宅には、カーポート型太陽光発電と蓄電池（低コストかつ可搬性あり）を導入、LED照明交換、省エネ支援とともに、省エネ家電への買い換えを補助
- ・今後の住宅モデルとなるZEH対応型の村営住宅の新設

**図4-3-1　上野村における地域課題と脱炭素対策（取組方針）その2**

# 4-4. ビジョン達成による効果を考える

　作成するビジョンは、地球温暖化対策実行計画（区域施策編）における理念と重なることから、住民、事業者等の関係者の賛同を得ることが重要です。

　このため、ビジョン達成による効果（定性的な効果で十分）を、地域住民や事業者等に分かりやすく伝えることが重要です。なお、定量的な効果は、裏付けとなる根拠が必要なため、「基本計画」を策定する際に明確化します。

　**表4-4-1**は、全国の脱炭素モデルとなる脱炭素先行地域（2023年9月までの第3回公表分まで）のうち、行政界全域を対象エリアとする市町村を対象に、主な効果について、地方創生の四つの視座で整理したものです。

　また、**表4-4-2**は、市町村名を入れた具体・個別の内容です。

　**表4-4-1**を見ると、一見「循環経済」が少ないように見えますが、再生可能エネルギーを導入するということは、外部流失していたエネルギーコストが、再エネによる地産地消で内部化することであり、再エネの導入は、基本的に「循環経済」に繋がります。

### 表4-4-1 全域対象の先行地域における主な効果

| 四つの視座 | 主な効果（キーワード） |
|---|---|
| 経済・雇用 | ・森林事業者の収益増加<br>・森林資源の最大活用と林業の再生<br>・カーボンフリー水産品としての付加価値向上<br>・エネルギー地産地消の担い手を育成 |
| 快適・利便 | ・安心・安全に暮らせるまちづくり<br>・村の魅力度・満足度の向上による移住者の増加<br>・定住・脱炭素リノベーションによる移住者の多様なライフスタイルへのニーズに対応<br>・農機具の電動化等による農業作業環境の改善 |
| 循環経済 | ・安定的なエネルギー供給体制の確保<br>・町民のエネルギーコスト負担を軽減 |
| 防災・減災 | ・大規模停電などの非常時においても防災拠点として電力を確保<br>・エネルギーセキュリティを確保<br>・地域マイクログリッドの構築によるレジリエンス[vi]を強化<br>・自立分散型電源の確保によるレジリエンス強化 |

### 表4-4-2 全域対象の先行地域における個別の内容　その1

| 市町村名 | | 取組により期待される主な効果 | 地方創生の視座 | | | |
|---|---|---|---|---|---|---|
| | | | 経済・雇用 | 快適・利便 | 循環経済 | 防災・減災 |
| 上士幌町 | ① | 酪農施設から発生する家畜ふん尿を活用したバイオガス発電をはじめとして地域で生まれた再生可能エネルギーを最大限地産地消することにより、環境負荷の少ない住民生活と自律的な域内循環が生まれるとともに、供給電力を地域で確保し、**安定的なエネルギー供給体制を確保** | | | ○ | ○ |
| | ② | 防災の拠点となる役場庁舎を中心として、太陽光発電設備と蓄電池、自営線を設置してマイクログリッドを構築し、**大規模停電などの非常時においても防災拠点として電力を確保**し、レジリエンスを強化 | | | | ○ |
| 奥尻町 | ① | 離島におけるエネルギーの地産地消で、燃料の海上輸送に影響されない**安定した電力供給**が可能となることで、北海道本島よりも割高な発電コストや**町民のエネルギーコスト負担を軽減**し、地域経済の好循環を創出 | | | ○ | ○ |
| | ② | 島内で独立した電力需給ネットワークやEMSの構築により、離島という地理的制約下でも自然災害発生時の**エネルギーセキュリティを確保** | | | | ○ |
| | ③ | EV自動運転デマンドバスの導入をはじめとする最先端技術の活用により、民生活の**利便性向上**や高齢者が**安心・安全に暮らせるまちづくり**を推進 | | ○ | | |

## 表4－4－3　全域対象の先行地域における個別の内容　その2

| 市町村名 | | 取組により期待される主な効果 | 地方創生の視座 | | | |
|---|---|---|---|---|---|---|
| | | | 経済・雇用 | 快適・利便 | 循環経済 | 防災・減災 |
| 久慈市（旧山形村） | ① | 木質バイオマス熱電併給システムの導入による、チップ需要やメンテナンス業務の創出により、地域内木質バイオマス供給企業の**雇用機会**を増加 | ○ | | | |
| | ② | 未利用資源の仕向先の確保、木質チップの販路拡大、産業廃棄物として処理していたバークの処理費用低減による**森林事業者の収益増加** | ○ | | | |
| | ③ | 風力発電所の**建設及び維持管理業務**の発注先となる地元企業の育成につなげるとともに、風力発電の作業道を森林事業者に開放することで**林業振興**を図る | ○ | | | |
| 上野村 | ① | **森林資源**を木質バイオマスの原材料として**最大限活用**するとともに、林道の路網整備や林業従事者の確保・育成を進め、事業基盤の強化により**林業の再生**を図る | ○ | | | |
| | ② | すべての村営住宅等への太陽光発電・蓄電池の導入や**地域マイクログリッド**の構築により**レジリエンスを強化**するとともに、今後の住宅モデルとなるZEH対応型の村営住宅の新設等により、**村の魅力度・満足度を向上**し、移住者の増加・定住を促進 | | ○ | | ○ |
| 佐井村 | ① | 海岸漂着ごみの有効利用により、樹脂燃料ペレット製造のための**新たな雇用創出**を図るとともに、水産加工工場への再エネ導入も実施して加工場を脱炭素化してカーボンフリー**水産品として付加価値向上**を図る | ○ | | | |
| | ② | 漁港ごとに集落が点在するという漁村の特性を踏まえ、太陽光発電・蓄電池の導入により**自立分散型電源を確保**し、村全域の**レジリエンスを強化** | | | | ○ |
| | ③ | 「取次店」として事業をスモールスタートさせ、需要家との関係構築やノウハウの蓄積、体制整備を行った上で小売事業や発電事業へと**徐々に業態を拡大**し、**事業リスクを低減**しつつ、エネルギー地産地消の**担い手を育成** | ○ | | | |
| 生坂村 | ① | 村内で唯一の食料品を取り扱う道の駅、ブドウ圃場等への自営線マイクログリッド構築により、**災害リスクの低減**を図り、地域の魅力を高めるとともに、ブドウ農家の**収益性向上**と新規就業者増による**地域活性化**を図る | ○ | | | ○ |
| | ② | 山林の伐採・再造林等の施業やペレット製造を通じて、林業サプライチェーンを構築することで、健全な森林管理を行い、**新たな産業・雇用**を創出 | ○ | | | |
| | ③ | 古民家に対し、**脱炭素リノベーション**を実施することで、安全な住宅ストックを確保し、移住者の多様なライフスタイルへのニーズに対応 | | ○ | | |

## 表4−4−4　全域対象の先行地域における個別の内容　その3

| 市町村名 | | 取組により期待される主な効果 | 地方創生の視座 | | | |
|---|---|---|---|---|---|---|
| | | | 経済・雇用 | 快適・利便 | 循環経済 | 防災・減災 |
| 北川村 | ① | 村振興公社が主体となる地域還元型の小水力発電・太陽光発電事業を導入することで、地域おこし協力隊制度等を活用した電気技術者人材の育成や**新規雇用**を創出 | ○ | | | |
| | ② | ゆず栽培の成果が蓄積されることにより、ソーラーシェアリング下での栽培技術が向上するとともに、農機具の電動化、ロボット導入による防除作業の実証の成果と連携して**農業作業環境を改善** | ○ | ○ | | |
| 黒潮町 | ① | 二次避難所のレジリエンスを確保するとともに、人口集中エリアでは自営線マイクログリッドを構築することにより、**医療機器**を必要とする**要配慮者**を含め、町民が安心して避難生活を送ることができる環境整備 | | | | ○ |
| | ② | 脱炭素カルテを活用した**町民全員の防災・脱炭素化の意識向上** | | | | ○ |
| | ③ | 施設園芸設備の電化による事業収支の改善やカツオ缶詰工場での脱炭素化による高付加価値化により、主産業である**農業・水産業の振興**を図り、人口流出を抑制 | ○ | | | |

# 4−5. 伝えるためのビジョンの仕上げ

　いよいよビジョンの仕上げです。言葉だけではなく図によるイメージ化により、ビジョンを見える化します。

　イメージ図は、住民説明・合意形成に活用できるよう、取組方針のキーワードと「その効果」を図に添えて作成します。

　また、イメージ図は、何が地域の特色（強み）かが伝わるようシンプルに、メリハリつけて表現し、これに補足説明として、文章を添えるの分かりやすいでしょう。

　図４−５−１ａは、上野村の 2030 年までに目指す地域脱炭素のイメージです。2040 年を見据えつつ、2030 年度の目指すべき姿を示しています。文章による補足説明では、2030 年度までに脱炭素の基盤ができて、更にグリーンツーリズム等の関連産業に展開していく様子を述べており、広がりある内容としています。

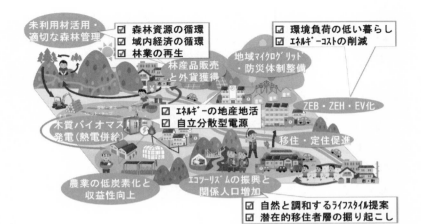

村に豊富に存在する森林資源を活用した木質バイオマス発電（熱電併給）と、建物の屋根等に設置する太陽光発電の導入を推進し、村内で使用するエネルギーの再エネ比率を最大限向上させると共に、ZEB・ZEH・EV化や省エネ家電への買い替え補助により、脱炭素やエネルギー効率の向上に取組む。

これらの施策により、

①エネルギーの地産地活による利益の村内留保（域内経済循環の達成）

②災害時に使える自立電源の確保

③エネルギーコストの削減による家計・事業の収支改善が期待できる。

また、①により林業の基盤を強化し、人材育成や計画的な森林管理を行うことで林業活性化と森林資源の新陳代謝の向上を図り、森林の$CO_2$吸収力を維持・向上させると共に、村の主要な産業の一つである観光分野におけるグリーンツーリズム・エコツーリズムの振興や、脱炭素で輝く地域コミュニティとしての訴求力強化に繋げる。

これらの一体的な運用により村民の幸福度や村の魅力を高め、高齢化の進む本村に子育て世代を呼び込むことで将来に向けて人口を維持すべく、脱炭素を起爆剤としてサスティナブルな村づくりを全力で目指したい。

**図4−5−1a　脱炭素ビジョンのイメージ図（上野村）**

全域を対象エリアとする市町村のうち、上野村と同様のイメージ図（図４−５−１ｂ）を作成しているのは、第3回目（2023年4月28日公表）で選定された高知県北川村です。

　北川村では、「北川村まち・ひと・しごと創生総合戦略」の取組方針に基づき、以下の五つの観点から北川村の強みを生かした地域循環共生圏の構築を目指しています。
　　①自然資源の活用
　　②観光資源のブランディング
　　③地域経済循環
　　④レジリエンス強化
　　⑤地域コミュニティ強化

　2020年度に策定した「北川村まち・ひと・しごと創生総合戦略」に示された取組方針に基づき、地域脱炭素を通じて、「自然資源の活用」、「観光資源のブランディング」、「地域経済循環」、「レジリエンス強化」、「地域コミュニティ強化」の五つの観点から北川村の強みを生かしたゆずを中心とした地域循環共生圏を2030年度までに構築する。
　具体的な地域脱炭素の姿は以下のとおり。
①「自然資源の活用」：豊富な河川流量を活用した小水力発電とソーラーシェアリングを含む太陽光発電による再エネ電気で村全体の民生部門の電力需要を賄う。
②「観光資源のブランディング」：村の主要観光資源である「モネの庭、中岡慎太郎館、ゆずの宿」を結ぶ村営路線バスのEV化による観光ブランディングを確立する。
③「地域経済循環」：民生部門の各施設で再エネ導入・省エネ対策を進めた上で、電力を自家消費で供給するとともに、不足分については、公社が管轄する小水力発電及びソーラーシェアリングで発電した再エネ電気を相対契約で調達することで再エネ電力の地産地消を実現する。また、公社の運営、設備の維持管理等の雇用創出により地域経済を循環させる。
④「レジリエンス強化」：村の指定避難所に太陽光発電設備、蓄電設備を整備することで、災害時でも停電しない施設環境を整え、レジリエンス強化を図る。
⑤「地域コミュニティ強化」：民間企業と協力して地産地消型エネルギーを導入することにより地域循環共生圏を構築し、農福連携事業等の地域のコミュニティ活動強化施策に活用する。

**図4－5－1b　脱炭素ビジョンのイメージ図（北川村）**

# 第3部

## 計画編

# 5. 実効性ある計画づくり

　地域の目指すべき将来像である脱炭素ビジョン（基本構想）が明確になったところで、次は基本計画の作成です。

　基本計画は、構想をより具体的にするものです。
　基本計画の次には実施計画があり、基本的な構成は、「第2部　ビジョン編」で地域課題抽出の対象とした「総合計画」と同様です。

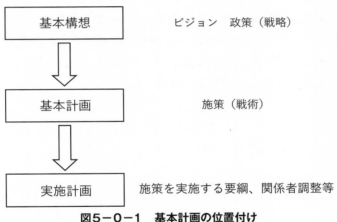

| 基本構想 | ビジョン　政策（戦略） |
| 基本計画 | 施策（戦術） |
| 実施計画 | 施策を実施する要綱、関係者調整等 |

**図5－0－1　基本計画の位置付け**

# 5-1. 脱炭素計画をつくる際に 知っておきたい基礎知識

地域脱炭素の基本計画は、**図5-1-1**のフローで作成します。

　計画づくりの本題に入る前に、市町村が主体となり、地域の脱炭素社会形成に向けて計画をつくる際にあらかじめ知っておきたい基礎知識を説明します。

　主なポイントは、以下の五つです。

（1）対象とすべき温室効果ガスと部門の範囲

（2）電気は使用量が増えても $CO_2$ は減ることがある

（3）$CO_2$ 排出量の按分推計は実態とかけ離れることがある

（4）再エネのポテンシャル量と本当に利用できる量は異なる

（5）地域脱炭素事業の促進には官民連携が必須

　五つのポイントは、実効性の高い計画にできるかどうかに大きく関わるため、次ページ以降で詳しく述べていきます。

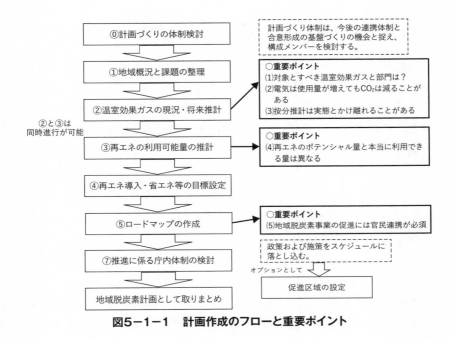

**図5−1−1　計画作成のフローと重要ポイント**

## （1）対象とすべき温室効果ガスと部門の範囲

　国内で排出される温室効果ガスは、全体の９割以上を二酸化炭素（$CO_2$）が占め、残りはメタンほか６種類あります。

　最大の排出量である $CO_2$ は、エネルギーの消費に伴い発生するものと、それ以外（工業プロセスにおける化学反応や廃棄物の焼却により発生するもの）に分かれます。

　このため、市町村が脱炭素対策を講じるのに有効な温室効果ガスは $CO_2$ であり、とりわけエネルギーの消費に伴い発生する $CO_2$ を抑制することは、効果が大きいと考えられます。

　また、一般廃棄物の適正処理は、市町村の責務のため、リデュース、リユース、リサイクルの推進により廃棄物の排出量を減らし、焼却施設での焼却量を低減することは、$CO_2$ 排出量の削減につながります。

　一般廃棄物を広域処理しているケースでは、焼却施設が近隣の市町村に立地する場合でも各々の市町村の廃棄物の排出量ベースで、応分に $CO_2$ 排出量の削減を図るべきです。

### 表5−1−1 温室効果ガスの種類

| 種類 | 用途、排出源 | |
|---|---|---|
| 二酸化炭素(CO₂) | エネルギー起源 | 化石燃料の燃焼など |
| | 非エネルギー起源 | セメントの生産、廃棄物の焼却など |
| メタン(CH₄) | 稲作、家畜の腸内発酵、廃棄物の埋め立てなど | |
| 一酸化二窒素(N₂O) | 燃料の燃焼、工業プロセスなど | |
| HFCS（ハイドロフルオロカーボン類） | スプレー、エアコンや冷蔵庫などの冷媒、化学物質の製造プロセスなど | |
| PFCS（パーフルオロカーボン類） | 半導体の製造プロセスなど | |
| SF₆（六フッ化硫黄） | 電気の絶縁体など | |
| NF₃（三フッ化窒素） | 半導体の製造プロセスなど | |

出典：全国地球温暖化防止活動推進センターHPより

https://www.asahi.com/sdgs/article/14685436#h14sl6brsjpvybghskhudzhi50qno4

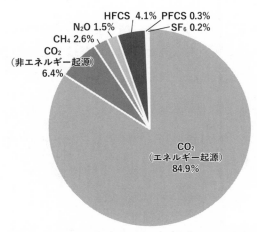

### 図5−1−2 温室効果ガスの排出割合（2022年度）

出典：環境省、国立環境研究所「2022年度温室効果ガス排出量（確報値）概要」

市町村が排出抑制に取組む温室効果ガスは、第一にエネルギーの消費に伴い発生する $CO_2$ であり、市町村がエネルギー消費への対策を策定・実施することが有効である部門を対象とするのが効果的です。

　そこで部門別にみると、民生と家庭は、市町村の対策が最も効果を発揮しやすく、産業部門も工業団地等に太陽光発電等の再生可能エネルギーの導入を行うなど、市町村による対策の可能性があります。

　一方、運輸部門は、貨物運輸・公共輸送機関・タクシーなどにおける最終エネルギー消費は、市町村が対策を行うのは困難です。
　なぜならば、サービスを受ける消費者が複数市町村に散在し、かつエネルギーを消費する車両・船舶などが複数市町村への移動が可能だからです。

　このため、運輸部門のうち、貨物に関しては、特定の市町村が対策を講じることには適さず、対象外としても問題は少ないかと考えられます。

　ただし、移動が市町村内に限定されている地域公共交通機関が存在する場合などは、各市町村が個別に対応することが可能なため、自家用車を含む旅客は対象とします。

## 表5−1−2　温室効果ガス46%削減（2013年度比）の内訳

第一にエネルギーの消費に伴い発生する$CO_2$排出量の削減が重要

（単位：億t）

| 温室効果ガス排出量・吸収量<br>（単位：億t-CO2） | | 2013排出実績 | 2030排出量 | 削減率 | 従来目標 |
|---|---|---|---|---|---|
| | | 14.08 | 7.60 | ▲46% | ▲26% |
| エネルギー起源$CO_2$ | | 12.35 | 6.77 | ▲45% | ▲25% |
| 部門別 | 産業 | 4.63 | 2.89 | ▲38% | ▲7% |
| | 業務その他 | 2.38 | 1.16 | ▲51% | ▲40% |
| | 家庭 | 2.08 | 0.70 | ▲66% | ▲39% |
| | 運輸 | 2.24 | 1.46 | ▲35% | ▲27% |
| | エネルギー転換 | 1.06 | 0.56 | ▲47% | ▲27% |
| 非エネルギー起源$CO_2$、メタン、$N_2O$ | | 1.34 | 1.15 | ▲14% | ▲8% |
| HFC等4ガス（フロン類） | | 0.39 | 0.22 | ▲44% | ▲25% |
| 吸収源 | | - | ▲0.48 | - | （▲0.37億t-CO2） |
| 二国間クレジット制度（JCM） | | 官民連携で2030年度までの累積で1億t-CO2程度の国際的な排出削減・吸収量を目指す。我が国として獲得したクレジットを我が国のNDC達成のために適切にカウントする。 | | | - |

出典：環境省脱炭素ポータルサイト
https://ondankataisaku.env.go.jp/carbon_neutral/topics/20211028-topic-15.html

## （2）電気は使用量が増えてもCO₂は減ることがある

エネルギー消費の利用形態は、大別すると、電気と熱になります。熱利用は、ガスコンロやガス給湯器で使用する都市ガスやプロパン、石油ストーブで使用する灯油、工場や事務所で使用するボイラー燃料の重油などがあります。

図5－1－3は、$CO_2$排出量を排出する主な要因を分解し、式の形で表したものです。この式は、東京大学名誉教授の茅陽一氏が提示したもので、世界的に知られる「茅恒等式」と呼ばれます。

この式からは、$CO_2$排出量を減らすには以下の2点が重要なことが分かります。
　①エネルギー供給の低炭素化
　②省エネルギー

ここで、注目したいのは、①のエネルギー供給の低炭素化における電気の排出原単位です。$CO_2$排出量は電気、燃料種別の使用量と排出原単位との掛け算で算出しますが、図5－1－4に示すよう電気の排出原単位[vii]は、発電時に使用する燃料等により変化するため、電気使用料の増減は、必ずしも$CO_2$排出量の増減と一致しません。

一方、燃料・ガスは$CO_2$の排出原単位は一定で変わりません。

電気の排出原単位は毎年変化し、熱利用に供する燃料・ガスは変わらない。この違いを理解することが重要です。

このため、電気を供給する発電所が低炭素化できれば、使用量は増えても$CO_2$は減るという現象が起きるのです。

なお、図5－1－4で対象とした「旧一般電気事業者」とは、電力自由化以前に、電気事業法による参入規制によって自社の供給区域で電気の小売供給の独占が認められていた電力会社10社のことです。

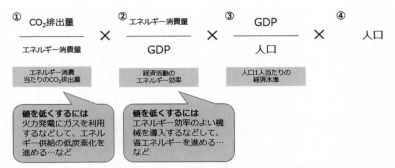

**図5－1－3　茅恒等式（CO₂排出量を排出する主な要因に分解）**

資料：資源エネルギー庁 HP
https://www.enecho.meti.go.jp/about/special/johoteikyo/lifecycle_co2.html

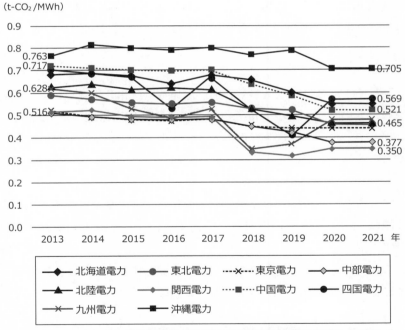

**図5－1－4　旧一般電気事業者の排出係数（調整後排出係数）の推移**

旧一般電気事業者から構成される電気事業連合会が、2030年度に目標とする電気の排出原単位は、0.37t-CO$_2$/MWhであり、原子力発電所が複数稼働済みの関西電力では、既に達成しています。

　つまり、電気を供給する発電所の電源を再エネや原子力によりゼロカーボン化できれば、大元の発電所がゼロカーボン化できる点において、電気は燃料系よりもゼロカーボン化が容易と考えられます。

　**図5－1－5**は、北海道内の再生可能エネルギーの導入量について、2012年度末と2018年度末を比較したものです。再生可能エネルギーの導入量は1.9倍に増加し、これに伴いCO$_2$の排出原単位は、0.681 t-CO$_2$/MWh（2013年）から0.601 t-CO$_2$/MWh（2019年）へと12％減少しています。

　**表5－1－3**は、電気事業者別排出係数（令和3年度）より一部引用したものですが、小売電気事業者により、排出係数（排出原単位）も様々で、すべての電源を再エネとする小売事業者は、ゼロカーボン電力を強みとしています。

　電気や熱の使用にともなって排出される「エネルギー起源CO$_2$」の削減は、2030年までの取組みを考えると、今ある技術でできることが重要です。
　これには先ずは、電化の推進であり、燃料利用を電化に転換することにより、短期的なCO$_2$削減効果が期待できます。

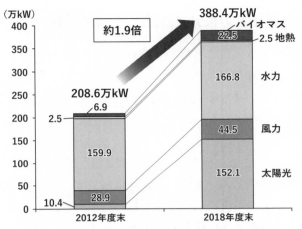

図5－1－5　北海道内の再生可能エネルギーの導入量
（FIT導入年度末対比 ※導入は2012年7月）

資料：北海道電力株式会社「電気事業をめぐる状況について」（2019年6月）

表5－1－3　ゼロカーボン電気小売事業者の排出係数の例

| 電気事業者名 | 基礎排出係数<br>（t-CO₂/kWh） | 調整後排出係数<br>（t-CO₂/kWh） | |
|---|---|---|---|
| A 社 | 0.000396 | メニューA | 0.000000 |
| | | メニューB | 0.000000 |
| | | メニューC | 0.000308 |
| | | メニューD | 0.000403 |
| | | （参考値）事業者全体 | 0.000000 |
| B 社 | 0.000550 | | 0.000524 |

基礎排出係数：電気事業者が供給した電気について、発電の際に排出
　　　　　　　したCO₂排出量を販売した電力量で割った値
調整後排出係数：基礎排出係数にFIT制度による買取電力量や非FIT非
　　　　　　　化石電源からの調達量などの要素を加味して修正し
　　　　　　　た値

資料：環境省「温室効果ガス排出量 算定・報告・公表制度」算定方法・排出係数一覧
https://ghg-santeikohyo.env.go.jp/calc

## （3）CO₂排出量の按分推計は実態とかけ離れることがある

内閣府は、令和5年度より自治体職員向けに「地域のための地方創生ゼロカーボン実務担当マニュアル」を作成しています。当該マニュアルで紹介されていますが、$CO_2$排出量の按分推計は、実態とかけ離れることがあります。

環境省は、すべての自治体の$CO_2$排出量推計値を「自治体排出量カルテ」として公表しています。自治体排出量カルテは、都道府県の排出量を基に按分で市町村の排出量を推計しているため、その精度には限界があり、実態とかけ離れることがあるのです。

**図5－1－6**は、内閣府の「地域のための地方創生ゼロカーボン実務担当マニュアル」で紹介されている$CO_2$排出量の推計の例です。
環境省の「自治体排出量カルテ」とE-konzalの「都道府県エネルギー消費統計を基に推計したもの」を比べると、$CO_2$排出量の部門別割合が大きく異なっています。
特に産業部門の違いが大きく、これは、自治体排出量カルテでは、県レベルの$CO_2$排出量を自治体に按分する過程で、茨城県全体の排出の3分の1を占める日本製鉄東日本製鉄所鹿島地区（鹿嶋市所在）の$CO_2$排出量が、土浦市の製造品出荷額に応じて土浦市に配分されてしまったためです。

他の市町村でも産業部門の$CO_2$排出量について、業種別の積上げによらない全体の製造品出荷額による按分推計の場合、誤差が大きくなるケースが確認されています。

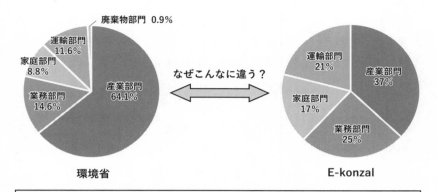

■環境省（自治体カルテ）
　県レベルのCO$_2$排出量を自治体に按分する過程で、茨城県全体の排出の３分の１を占める日本製鉄鹿島製鉄所（鹿嶋市所在）のCO$_2$排出量が、土浦市の製造品出荷額に応じて土浦市に配分されてしまい過大になった。

■E-konzal
　経済産業省の都道府県エネルギー統計を利用し、エネルギー種・部門別に詳細な推計を実施している。
　E-konzalでは、独自推計データ「地域E-CO$_2$ライブラリー」を無償で公表している。

**図５−１−６　CO$_2$排出量の按分推計データと実態がかけ離れる例**
**（茨城県土浦市）**

資料：内閣府地方創生ゼロカーボン推進事業「地域のための地方創生ゼロ
　　　カーボン実務担当マニュアル＜１＞フロー図・チェックポイント編」

$CO_2$排出量が実態と異なるケースもある環境省の「自治体排出量カルテ」ですが、**表5−1−4**に示す項目が網羅的に整理されており、手軽に市町村の$CO_2$排出量の傾向や再エネ電気の導入の現状が把握できるメリットがあります。

　前述したように、電気については、大元の発電所における$CO_2$排出原単位の影響が大きく、電気使用量が増えても、排出原単位がそれを上回るペースで下がれば、電気の使用に伴う$CO_2$排出量は減少します。

　このため、市町村のエネルギー起源$CO_2$の排出量の算定は、同じ按分推計でも直に都道府県の$CO_2$排出量を活動指標で按分推計するのではなく、電気と熱（ガソリン、灯油、重油等の化石燃料）の利用形態に分けて、都道府県のエネルギー消費統計を活動指標で按分推計することにより、正確さが向上します。

　**図5−1−7**は、「地方公共団体実行計画（区域施策編）策定・実施マニュアル」に記載されているエネルギー起源$CO_2$排出量の推計手法の分類一覧ですが、環境省の「自治体排出量カルテ」は、最も簡易な標準的手法である「カテゴリA」を用いており、都道府県のエネルギー消費統計を活動指標で按分推計する手法は、「カテゴリC」となります。

表5−1−4　環境省「自治体排出量カルテ」の主な内容

| 大項目 | 中項目 |
|---|---|
| $CO_2$排出量の傾向把握 | ・排出量の部門・分野別排出量（３カ年度）<br>・温室効果ガス（$CO_2$）排出量の経年変化<br>・部門・分野別構成比の比較（都道府県平均及び全国平均） |
| 活動量の現状把握 | ・部門・分野別指標の推移 |
| 温室効果ガス（$CO_2$）排出量の現状把握 | ・区域全体の排出量（標準的手法）に占める特定事業所のカバー率<br>・特定事業所の排出量<br>・特定事業所数及び１事業所当たりの排出量 |
| FIT制度による再生可能エネルギー（電気）の現状把握 | ・再生可能エネルギー導入状況<br>・他の地方公共団体との再生可能エネルギーの導入容量の比較<br>・再生可能エネルギー普及率等の比較 |

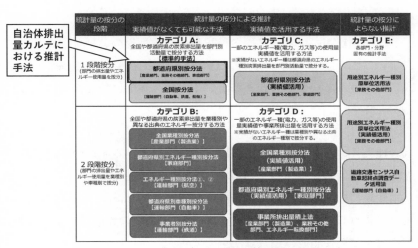

図5−1−7　エネルギー起源$CO_2$排出量の推計手法

資料：環境省「地方公共団体実行計画（区域施策編）策定・実施マニュアル」

## （4）再エネのポテンシャル量と本当に利用できる量は異なる

　市町村ごとの再エネ導入のポテンシャル量は、環境省が GIS（地理情報システム）を活用した「再生可能エネルギー情報提供システム（REPOS：Renewable Energy Potential System）」として、マップ情報を含む自治体再エネ情報カルテを公表しています。

　REPOS のデータは、各種規制や事業性を考慮しない賦存量から、一定の事業性を考慮したポテンシャル量まで、複数のケースが推計されています。なお、全国自治体のポテンシャル量は年々バージョンアップされ、令和5年4月からは、木質バイオマスも加わりました。

　ここで注意が必要なのは、各種規制や事業性等の各種条件を考慮した場合、REPOS のポテンシャル量が十分あっても FIT 電源等として既に利用されている量も含まれているため、実際に使える量は限られることです。

　各種条件のうち特に重要なのは、再生可能エネルギーの供給施設の立地場所と、エネルギーを利用する施設の近接性です。
　地産地消を基本に考えると施設内消費が最適であり、特に熱需要は、電気のようには送電線等で離れた遠距離を送ることができないため、供給設備と需要施設は近接性が重要です。
　電気も事業性を考慮すると、新たに送電線を自営線として設置する場合は、電力供給量の規模にもよりますが、数百メートル程度が目安と思われます。熱供給の熱導管は、1km 程度まで温度を維持したまま送水できるものもありますが、管を敷設する用地の確保や道路横断等の対応など、多くの課題があります。

## 表5-1-5　環境省REPOSのポテンシャル量の例（上野村）

| 大区分 | 中区分 | 賦存量 | 導入ポテンシャル | 単位 |
|---|---|---|---|---|
| 太陽光 | 建物系 | − | 13.172 | MW |
| | 土地系 | − | 12.319 | MW |
| | 合計 | − | 25.49 | MW |
| 風力 | 陸上風力 | 127.600 | 0.100 | MW |
| 中小水力 | 河川部 | 3.448 | 3.448 | MW |
| | 農業用水路 | 0.000 | 0.000 | MW |
| | 合計 | 3.448 | 3.448 | MW |
| 地熱 | 合計 | 0.000 | 0.000 | MW |
| 再生可能エネルギー（電気）合計 | | **131.048** | 29.038 | MW |
| | | **275,623.478** | 54,347.908 | MWh/ 年 |
| 太陽熱 | | − | 5,632.270 | GJ/ 年 |
| 地中熱 | | − | 66,639.972 | GJ/ 年 |
| 再生可能エネルギー（熱）合計 | | − | 72,272.242 | GJ/ 年 |

| 木質バイオマス | 発生量（森林由来分） | 29.999 | − | 千 m3/ 年 |
|---|---|---|---|---|
| | 発熱量（発生量ベース）※ | 209685.051 | − | GJ/ 年 |

注：木質バイオマスの発熱量（発生量ベース）は、木材そのものが持つ熱量で
　　あり、使用時を想定した熱量である太陽熱や地中熱のポテンシャルとは直
　　接比較できない。

資料：再生可能エネルギー情報提供システム［REPOS（リーポス）］
https://www.renewable-energy-potential.env.go.jp/RenewableEnergy/22.html

再エネのポテンシャル量と本当に利用できる量がどの程度違うのか、上野村のケースでみてみましょう。

　**表5－1－6**は、上野村における民生部門を需要先とした場合の再エネ導入可能量です。なお、脱炭素先行地域の計画提案書に記載した内容のため、電力の需要先は、民生部門（業務その他および家庭部門）における対象施設となっています。

　太陽光発電の場合、対象施設の屋根面積から設置可能な設備容量は、全体で 2,904kW でした。しかしながら実際のところは、建築年数が古い建物や日当たりの関係から、本当に設置できる量は 2,360kW となり、当初の8割に減少しました。

　小水力発電のポテンシャル量は、過去に群馬県が実施した調査から、設備容量 20.8kW が見込まれましたが、取水施設から需要先の施設までの水圧管路の距離が 280ｍあることに加え、橋を三つ超えなくてはならないことから、事業性の確保は困難と判断され、対象外としました。

**表5－1－6　上野村における民生部門を需要先とした場合の再エネ導入可能量**

| 再エネ<br>種別 | 地方公共団体内<br>導入可能量 ① | 調査状況<br>（その手法） | 考慮すべき事項 ②<br>（経済合理性・支障の有無等） | 除外後の導入<br>可能量（①－②） |
|---|---|---|---|---|
| 太陽光発電 | 2,904 (kW)<br>村営住宅 501 (kW)<br>戸建住宅 1,404 (kW)<br>民間施設 130 (kW)<br>公共施設 869 (kW) | ☑済（現地・再エネ調査）<br>□一部済（　　　） | 日照条件を考慮し、導入が困難な戸建住宅 97戸を除外。屋根の耐荷重で導入が困難な戸建住宅 104戸にはカーポート型で導入とした。<br>除外量：544 (kW) | 2,360 (kW)<br>村営住宅 501 (kW)<br>戸建住宅 860 (kW)<br>民間施設 130 (kW)<br>公共施設 869 (kW) |
| 木質<br>バイオマス<br>発電 | 175 (kW) | ☑済（現地・再エネ調査）<br>□一部済（　　　） | 現状のペレット工場の生産量（針葉樹中心）に、広葉樹を原木として加えることにより、除外ゼロとする。<br>除外量：0 (kW) | 175 (kW) |
| 小水力発電 | 20.8 (kW) | ☑済（現地・再エネ調査）<br>□一部済（　　　） | 適地が自家消費の難しい箇所にあり、経済性の確保が難しいため除外した。<br>除外量：20.8 (kW) | 0 (kW) |
| バイオガス<br>発電 | 0 (kW) | ☑済（現地・再エネ調査）<br>□一部済（　　　） | 家畜ふん尿、食品残さ、下水汚泥のミックス処理が考えられるが、1日当たりの資源量が計11kgと僅かなため、事業化は困難である。<br>（生ごみは全量堆肥化済み）<br>除外量：0 (kW) | 0 (kW) |
| 風力発電 | 0 (kW) | ☑済（REPOS調査）<br>□一部済（　　　） | 風況が適さない。<br>除外量：0 (kW) | 0 (kW) |
| 合計 | 3,099.8 (kW) | | 除外量：564 (kW) | 2,535 (kW) |

## （5）地域脱炭素事業の促進には官民連携が必須

　令和4年4月に施行された改正温対法では、地域脱炭素化促進事業計画の推進に関する制度が導入され、民間事業者が地域共生型の再エネ事業の導入拡大を図ることが期待されています。

　この背景には、メガソーラー [viii] やウィンドファーム [ix] といった大規模な再エネ開発が、地域とのトラブルを起こしていることがあります。

　このため、地域脱炭素化促進事業計画は、市町村が温暖化対策実行計画の区域施策編を策定するにあたり協議会を設けて、関係者が一堂に会して、環境保全上の支障のおそれがないようポジティブゾーニングとして促進区域を議論し、関係者との合意形成を図ることが第一に必要です。

　次に、民間事業者が、地域ごとの配慮事項を踏まえ促進区域内で事業を行う場合、自ら事業計画を作成し、市町村の区域施策編に適合することについて市町村の認定を受けることにより、以下の特例措置を受けることができます。

> ① 関係許可等手続のワンストップ化
> ② 環境影響評価法に基づく事業計画の立案段階における配慮書手続の省略

　地域脱炭素化促進事業が対象とする再エネは、太陽光、風力、中小水力、地熱、バイオマスとなっており、いわゆる自然エネルギーとなっています。

　自然資源の活用は、地域の環境保全を図りつつ、民間との連携により、地域の経済社会の持続的発展を図ることが重要です。

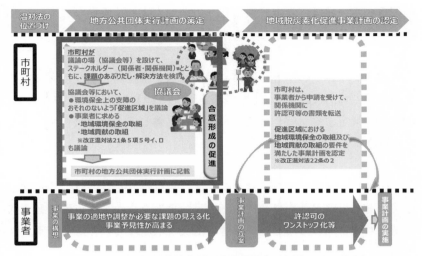

**図5−1−8　地域脱炭素化促進事業計画の認定に至る流れ**

資料：環境省中国四国地方環境事務所「加速する「地域脱炭素×地方創生」」2022年6月

**表5−1−7　地域脱炭素化促進事業に取組む事業者メリット**

| | 特例の対象となる許認可等手続の概要 | |
| --- | --- | --- |
| | 対象となる行為 | 許可等権者 |
| 温泉法 | 温泉を湧出させる目的での土地の掘削、湧出路の増掘等 | 都道府県知事の許可 |
| 森林法 | 民有林・保安林における土地形質変更等の開発 | 都道府県知事の許可 |
| 農地法 | 農地の転用、農用地（農地、採草放牧地）の所有権等の移転 | 都道府県知事等の許可 |
| 自然公園法 | 国立公園・国定公園内における工作物の新設、土地形質変更等の開発行為等 | 環境大臣（国立公園）、都道府県知事（国定公園）の許可<br>※特別地域における行為の場合<br>又は届出<br>※普通地域における行為の場合 |
| 河川法 | 水利使用のために取水した流水を利用する発電（従属発電）のための流水の占用 | 河川管理者※への登録<br>※国交大臣、都道府県知事又は指定都市の長 |
| 廃棄物処理法 | 廃棄物処理施設における熱回収施設の設置 | 都道府県知事等の認定<br>※任意で熱回収認定を受けることができる |
| | 指定区域内（処分場跡地）における土地形質変更 | 都道府県知事等への届出 |

資料：環境省中国四国地方環境事務所「加速する「地域脱炭素×地方創生」」2022年6月

図5－1－9は、地域脱炭素化への地域の実施体制構築とそれを支援する国の体制を示したものです。

　地域の実施体制の中心は、市町村、地域金融機関および地元の中核企業等が主体的に参加し、地域の課題解決に資する脱炭素化の事業や、市町村が策定する温暖化対策実行計画を協働して企画、実行することが期待されます。

　特に地域金融機関の役割は重要であり、地域経済の活性化に向けて、地域企業との繋がりや事業性評価の目利き力を生かし、市町村と連携して、地域資源の活用と地域課題の解決に取組んでいくことが望まれます。

**図5−1−9　地域脱炭素化への地域の実施体制構築と国の積極支援**

資料：環境省中国四国地方環境事務所「加速する「地域脱炭素×地方創生」」2022年6月

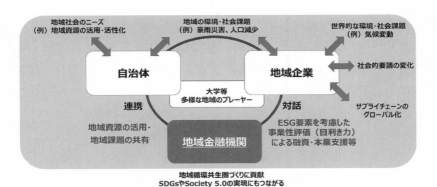

**図5−1−10　地域脱炭素化への地域主体の関係**

資料：環境省中国四国地方環境事務所「加速する「地域脱炭素×地方創生」」2022年6月

# 5-2. 計画づくりの体制検討

　ここからは、具体的な計画づくりの手順について述べます。

　地域脱炭素の基本計画は、構想レベルの脱炭素ビジョンを基に、目指す目標値、目標達成のための具体的な取組および関係者との連携体制等を取りまとめるものです。

　ビジョンの作成は、市町村内の体制のみでも可能ですが、基本計画となると、エネルギー消費量や $CO_2$ 排出量の推計など専門的な知識を要し、加えて、住民・事業者等の関係者との合意形成を図りながら作成することが必要です。

　そこで、計画づくりにあたり、先ずは体制を検討します。

　市町村内の体制に加え、前ページの**図5-1-9**で示した地域の関係者からなる地域協議会等を設置します。地域協議会の体制は、関係者の合意形成の基礎となります。

　協議会メンバーは、以下のような方々から構成されます。

・座長：学識者または有識者
・委員：庁内関係者（企画調整、産業振興、住民対応など幅広く）
　　　　庁外の地域関係者（商工会、観光協会、農協、森林組合、
　　　　自治会長、環境 NPO など）
・オブザーバー：国の地方事務所（環境省、経済産業省など）、
　　　　　　　　大学・研究機関等

　エネルギー使用量や $CO_2$ 排出量、再エネの利用可能量算定等の専門領域に関する調査事項は、外部の専門機関に業務委託し進めます。業務委託は、少なくない費用負担が発生するため、地域脱炭素の計画づくりを支援する国の事業を活用して取組むのが良いでしょう。

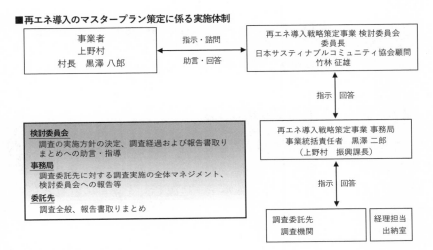

**■再エネ導入のマスタープラン策定に係る実施体制**

検討委員会
　調査の実施方針の決定、調査経過および報告書取り
　まとめへの助言・指導

事務局
　調査委託先に対する調査実施の全体マネジメント、
　検討委員会への報告等

委託先
　調査全般、報告書取りまとめ

**検討委員会メンバー**
○委員長　日本サスティナブルコミュニティ協会顧問　竹林 征雄 氏
○委　員　森林組合長、区長会長、商工会、村議会 経済建設常任委員長、教育委員会、観光協会
○オブザーバー　群馬県

**図5-2-1　基本計画づくりに当たる地域協議会の例（上野村）**

# 5−3. 現状を知る（温室効果ガス、再エネ・省エネへの取組）

## （1）温室効果ガスの排出量

「市町村が脱炭素計画をつくる際に知っておきたい基礎知識」で述べたよう市町村の脱炭素計画は、市町村が具体的な対策を講じることが可能で且つ即効性のあるエネルギー起源 $CO_2$ を第一の対象とします。

$CO_2$ 排出の元となっているエネルギー消費の現状を把握することは、合理的な解決策の根拠となります。

このため、$CO_2$ 排出量は、都道府県別の $CO_2$ 排出量を「活動指標より按分推計」するのではなく、エネルギー消費統計を基に按分推計し、先ずは市町村のエネルギー消費状況を把握することが大切です。

都道府県別のエネルギー消費統計は、国が $CO_2$ 排出量の基準年度とする 2013 年度から現在までの最新値を使用します。（2023 年度における最新値は、2019 年度のものです。）

温室効果ガスの排出量の把握は、人口 10 万人未満（全体の 8 割超え）の市町村であれば、基本的にエネルギー起源 $CO_2$ のみで問題ないと思われます。

**表5−3−2**は、国が目標とする温室効果ガス削減の内訳ですが、エネルギー起源 $CO_2$ の削減率は 2013 年度比で 45％と明記されています。

## 表5−3−1　温室効果ガスの種類

| 種類 | 用途、排出源 | | |
|---|---|---|---|
| 二酸化炭素(CO₂) | エネルギー起源 | 化石燃料の燃焼など | ← 第一の対象 |
| | 非エネルギー起源 | セメントの生産、廃棄物の焼却など | |
| メタン(CH₄) | 稲作、家畜の腸内発酵、廃棄物の埋め立てなど | | |
| 一酸化二窒素(N₂O) | 燃料の燃焼、工業プロセスなど | | |
| HFCS（ハイドロフルオロカーボン類） | スプレー、エアコンや冷蔵庫などの冷媒、化学物質の製造プロセスなど | | |
| PFCS（パーフルオロカーボン類） | 半導体の製造プロセスなど | | |
| SF₆（六フッ化硫黄） | 電気の絶縁体など | | |
| NF₃（三フッ化窒素） | 半導体の製造プロセスなど | | |

出典：全国地球温暖化防止活動推進センター HP より
https://www.asahi.com/sdgs/article/14685436#h14sl6brsjpvybghskhudzhi50qno4
※表5−1−1の再掲

## 表5−3−2　国が目標とする温室効果ガス削減（2013年度比）の内訳

| 温室効果ガス排出量・吸収量<br>(単位：億t-CO2) | 2013排出実績 | 2030排出量 | 削減率 | 従来目標 |
|---|---|---|---|---|
| | 14.08 | 7.60 | ▲46% | ▲26% |
| エネルギー起源CO₂ | 12.35 | 6.77 | ▲45% | ▲25% |
| 部門別 産業 | 4.63 | 2.89 | ▲38% | ▲7% |
| 業務その他 | 2.38 | 1.16 | ▲51% | ▲40% |
| 家庭 | 2.08 | 0.70 | ▲66% | ▲39% |
| 運輸 | 2.24 | 1.46 | ▲35% | ▲27% |
| エネルギー転換 | 1.06 | 0.56 | ▲47% | ▲27% |
| 非エネルギー起源CO₂、メタン、N₂O | 1.34 | 1.15 | ▲14% | ▲8% |
| HFC等4ガス（フロン類） | 0.39 | 0.22 | ▲44% | ▲25% |
| 吸収源 | | ▲0.48 | | (▲0.37億t-CO2) |
| 二国間クレジット制度（JCM） | 官民連携で2030年度までの累積で1億t-CO₂程度の国際的な排出削減・吸収量を目指す。我が国として獲得したクレジットを我が国のNDC達成のために適切にカウントする。 | | | － |

資料：環境省脱炭素ポータルサイト
https://ondankataisaku.env.go.jp/carbon_neutral/topics/20211028-topic-15.html

エネルギー起源$CO_2$の排出量の算定で使用する都道府県別エネルギー消費統計は、資源エネルギー庁が公表しています。

　対象の業種は、大きく分けて、企業・事務所他、家庭、運輸の三つですが、企業・事務所他は、中分類の業種ごとに整理されています。企業・事務所他は、環境省の分類である「産業部門」と「業務その他部門」に分かれているため、環境省の$CO_2$排出量の業種区分と整合を取ることが可能です。

　ただし、物流トラック等の貨物は、広域移動を伴い特定の市町村に配分するのが困難なため、運輸部門の貨物、鉄道および船舶は、都道府県別エネルギー消費統計の対象外となっています。

　**表5－3－4**にエネルギー消費量のお勧めの推計手法を紹介しました。ポイントは以下の3点です。

---

①製造業は、業種により$CO_2$排出量に大きな差があるため、一括りで対象とするのではなく、業種別の内訳ごとにエネルギー消費量を算出します。

②業務その他部門は、民間施設と公共施設に分けて推計し合算します。民間施設の業務施設延床面積（㎡）は、「固定資産の価格等の概要調書」（総務省）により、都道府県の数値が把握できるので、市町村の固定資産台帳情報等により把握した延床面積を按分します。
　公共施設におけるエネルギー消費量は、温暖化対策実行計画（事務事業編）で把握しているデータを使用します。

③運輸部門の貨物、鉄道および船舶は、都道府県別エネルギー消費統計の対象外のため、環境省の自治体排出量カルテの数値を使用します。

---

**表5−3−3　都道府県別エネルギー消費統計の概要**

| 作成方法 | 総合エネルギー統計のうち最終消費の企業・事業所他、家庭、運輸の家庭について所定の指標を用いて都道府県別に分割して推計している。<br>発電等のエネルギー転換及び運輸部門（家庭乗用車を除く）については都道府県別エネルギー消費統計の対象とはしない。 | | |
|---|---|---|---|
| 対象のエネルギー種 | 石炭、石炭製品、原油、石油製品（ガソリン、軽油、重油、LPG等）、天然ガス、都市ガス、再生可能・未活用エネルギー、電力、熱（産業用蒸気、熱供給） | | |
| 対象の業種 | 企業・事業所他 | 農林水産鉱建設業（業種別の内訳あり） | （産業） |
| | | 製造業（業種別の内訳あり） | （産業） |
| | | 業務他（第三次産業） | （業務その他） |
| | 家庭 | | （家庭） |
| | 運輸 | 乗用車・家庭 | （運輸；旅客） |

注：対象の業種の右列のカッコ内は部門名
資料：資源エネルギー庁 HP
https://www.enecho.meti.go.jp/statistics/energy_consumption/ec002/summary.html

**表5−3−4　市町村におけるエネルギー消費量のお勧めの推計手法**

| 部門・分野 | | お勧めの推計手法 |
|---|---|---|
| 産業 | 製造業 | 食品飲料製造業、繊維工業等の業種別内訳にて製造品出荷額にて按分推計 |
| | 建設業・鉱業 | 就業者数にて按分 |
| | 農林水産業 | 小規模農家を含む就業者数にて按分 |
| 業務その他部門 | | 民間の業務施設延べ床面積にて「公務」を除く「業務他」のエネルギー消費統計の合計を按分し、これに事務事業編で把握している「公務」に係るエネルギー消費量を加える |
| 家庭部門 | | 世帯数による按分推計は、地域により乖離が大きいため、世帯構成を考慮のうえ、世帯構成割合に応じたサンプル調査を実施のうえ拡大推計する |
| 運輸部門 | 自動車（旅客） | 自動車保有台数にて按分 |
| | 自動車（貨物） | エネルギー消費統計の対象外のため、市町村のエネルギー消費量は、算定対象外とし、CO₂排出量が必要な場合は、環境省の自治体カルテの数値を使用する |
| | 鉄道 | |
| | 船舶 | |

注：「按分」は「都道府県のエネルギー消費統計」を按分するの意味

エネルギー消費統計が対象外とする運輸部門の、貨物、鉄道、船舶は、環境省の自治体カルテの数値を使用することで補完すれば、エネルギー起源 $CO_2$ の排出量は、全部門を把握できます。

表５－３－５はエネルギー消費統計に基づく $CO_2$ 排出量把握の考え方です。上野村のエネルギー消費量と $CO_2$ 排出量を算出した際に使用した群馬県のエネルギー消費統計を例として掲載しました。

エネルギー消費統計は、①エネルギー種別ごとの固有単位表（電気は Wh、石油製品は L、都市ガスは $Nm^3$ など）、②エネルギー単位表（共通単位である J）、③炭素単位表（C トン）の三つから構成されています。このうち、エネルギー起源 $CO_2$ 排出量を把握するのには、②と③を使用します。

エネルギー単位表は、エネルギー使用の合計値を電力使用分と熱使用分に分けます。（電力使用分を合計値から差し引き算出します。）これは、図５－１－４で前述したように、電気の排出原単位は年度により変動するため、電気と熱に分けて、 $CO_2$ 排出量を算出することが重要です。

エネルギー単位表は、電気と熱の共通単位である J を使用しているため、Wh へ変換し、年度ごとに変動する電気の排出原単位を乗じて、 $CO_2$ 排出量を算出します。

熱使用分は、燃料種別ごとに算定するには、不確定要素が多いため、エネルギー使用の合計値における炭素量を、部門ごと・業種ごとに使用熱量で除して、TJ 当たりの C 排出量（C/TJ）を算出します。

## 表5−3−5　エネルギー起源CO₂排出量把握の考え方

①年度ごと・部門ごとに、エネルギー使用量を電力使用分と熱使用分に分けて、熱量（TJ）にて按分算出

②電力使用分は、熱量（TJ）から電力量（MWh）へ変換し、上野村が使用する東京電力のCO₂排出係数により、年度ごとに算出

③熱使用分は、TJ当たりのC排出量（C/TJ）を部門ごと・業種ごとに設定の上、CO₂排出を算出

■群馬県エネルギー消費統計（2018）より抜粋

【農林水産業の場合】
C排出量46,000 t ÷ 熱量 2,412TJ ＝ 18.03 t /TJ

## （2）再エネの導入・稼働状況

　都道府県別エネルギー消費統計の按分推計で把握できるエネルギーの使用量は、基本的に化石燃料が対象のため、これに導入済みの再生可能エネルギーを加えないと、市町村内全域のエネルギー消費量にはなりません。

　電力に関する再エネの導入実績は、FIT制度に関する公表情報で市町村ごとに把握が可能です。また、環境省が公表している自治体カルテでも同データを基に、FIT制度で認定された設備のうち買取を開始した設備が掲載されています。

　また、以下の再エネ情報は、含まれないため、個別の確認が必要です。

> ①発電した電気を自家消費で活用する設備（余剰電力を売電しない設備）
> ②FIT制度開始以前に導入されFIT制度への移行認定をしていない設備
> ③FIT制度に認定されていても買取を開始していない設備

　なお、FIT対象の電気は、電気利用者が公平に負担する再エネ賦課金によって成り立っている電気であるため、制度上、「$CO_2$排出量がない」という環境価値を持っていないと定義されており、市町村のエネルギー消費量には含みません。

　公共施設での再エネ導入は、FITではなく、補助金を活用した自家消費設備が多いため、漏れなく点検し導入済みの設備は、稼働状況も確認します。これは導入後に休止の状態もあるからです。

　住宅・民間は、アンケート調査により、新規の導入可能性を調べるのと合わせて、現状の導入実績推計の基礎データとして活用する方法もあります。

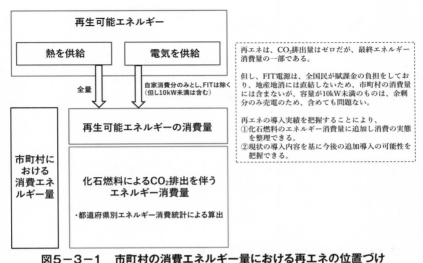

**図5−3−1　市町村の消費エネルギー量における再エネの位置づけ**

**表5−3−6　FIT情報の一覧表の構成**

|  | 認定量 | 導入量 |
|---|---|---|
| 太陽光（住宅：10kW未満） |  |  |
| 太陽光（非住宅：10kW以上） |  |  |
| 風力 |  |  |
| 中小水力 |  |  |
| 地熱 |  |  |
| バイオマス |  |  |
| 合　計 |  |  |

資料：再生可能エネルギー電気の利用の促進に関する特別措置法
　　　情報公表用ウェブサイト
　　　https://www.fit-portal.go.jp/PublicInfoSummary

## （3）省エネ等の取組状況

　エネルギーの消費量の削減には、再エネによる化石燃料の代替に加え、省エネの取組みが効果的です。むしろ、設備投資を伴わなくとも日々の行動で取組みができ、費用対効果が大きいのは、再エネよりも省エネのほうです。

　現在までの省エネの取組は、今後の脱炭素施策の基礎になることから、これまでに市町村が講じてきた省エネの取組みを以下の二つについて整理します。

---

1）事務事業編の対象範囲における取組み
2）市町村独自の住民・事業者向けの支援制度等

---

　1）の市町村の温暖化対策実行計画（事務事業編）における取組みは、「カーボン・マネジメント事業」等の既往の国の省エネ支援事業への取組内容を参考に整理すると良いでしょう。公共施設における設備更新による省エネ対策は、網羅されています。

　既存の設備を更新することで、省エネに取組める対策としては、LED照明、ボイラ、空調機（パッケージエアコン）、エネルギーマネジメントシステム（EMS）などが挙げられます。
　EMSは、継続的なデータ分析が効果を発揮します。役場庁舎に導入した場合であれば、各階ごとにデータを計測・分析し、通常と違う場合には、その原因を明らかにして、今後の対策を検討するというPDCAサイクルの運用が重要です。

　2）の市町村独自の住民・事業者向けの支援制度等は、LED照明への更新や住宅の窓やドアの断熱性能の向上などが該当します。

## 表5−3−7　事務事業編に基づく省エネ設備一覧

| | |
|---|---|
| 空調機（ヒートポンプ・個別方式） | ガスヒートポンプ |
| | パッケージエアコン（店舗・オフィス用） |
| | パッケージエアコン（設備用） |
| | パッケージエアコン（ビル用マルチ） |
| | 氷蓄熱式パッケージエアコン |
| 熱源・空調機（ヒートポンプ・中央方式） | フロン類等冷媒ターボ冷凍機 |
| | 自然冷媒ターボ冷凍機 |
| | 水冷ヒートポンプチラー |
| | 空冷ヒートポンプチラー |
| | デシカント空調システム（空調機器・デシカント空調機） |
| 熱源・空調機（ヒートポンプ・中央方式）・熱源補機 | 氷蓄熱ユニット |
| 熱源・空調機（気化式・中央方式） | 間接気化式冷却器 |
| 熱源・空調機（吸収式・中央方式） | 吸収冷温水機（二重効用） |
| | 吸収冷温水機（三重効用）/廃熱投入型吸収冷温水機（三重効用） |
| | 一重二重併用形吸収冷温水機 |
| | 吸収冷凍機（二重効用・蒸気式） |
| | 吸収冷凍機（三重効用・蒸気式） |
| | 一重二重併用形吸収冷凍機（蒸気式） |
| 熱源・空調機（吸着式・中央方式） | 吸着式冷凍機 |
| 熱源（ヒートポンプ） | 高温水ヒートポンプ（空気熱源・循環式） |
| | 高温水ヒートポンプ（空気熱源・一過式） |
| | 高温水ヒートポンプ（水熱源・循環式） |
| | 高温水ヒートポンプ（水熱源・一過式） |
| | 高温水ヒートポンプ（水空気熱源・循環式） |
| | 高温水ヒートポンプ（水空気熱源・一過式） |
| | 熱風ヒートポンプ（水熱源・一過/循環式） |
| | 蒸気発生ヒートポンプ（水熱源・一過式） |
| | 蒸気再圧縮装置 |
| | ダブルバンドルヒートポンプ |
| 給湯器（ヒートポンプ） | ヒートポンプ給湯機（空気熱源） |
| | ヒートポンプ給湯機（水熱源） |
| 給湯器（ガス式） | 潜熱回収型給湯器 |
| ボイラ | 温水ボイラ |
| | 蒸気ボイラ（貫流ボイラ） |
| | 蒸気ボイラ（炉筒煙管ボイラ） |
| | 蒸気ボイラ（水管ボイラ） |
| | 熱媒ボイラ |
| コージェネレーション | ガスエンジンコージェネレーション |
| | ガスタービンコージェネレーション |
| 照明器具 | LED照明器具 |
| 変圧器 | 油入変圧器 |
| | モールド変圧器 |
| エネルギーマネジメントシステム | BEMS（情報提供サービス・省エネ・診断サービス） |
| | BEMS（制御サービス・空調・熱源・個別方式） |
| | BEMS（制御サービス・照明） |
| | BEMS（制御サービス・空調・熱源・中央方式） |

資料：平成 29 年度 地方公共団体カーボン・マネジメント強化事業公募要領：
　　　「平成 28 年度版 L2-Tech リスト」（環境省）に基づく

設備更新等ハードの補助金などで支援していない場合でも**図5－3**
**－2**の国が取りまとめた「ゼロカーボンアクション 30」などの身近
な省エネ対策を普及啓発する取組みもあります。

このような普及啓発は、多くの市町村で既に取組んでいることから、
実際、住民や事業者がどの程度具体的なアクションに移行しているか
をアンケート調査により実態を把握するとともに、今後の取組み意向
も把握することで、施策検討の基礎データとして活用できます。
　具体的には、現状の省エネ対策の実施割合を基に、今後の可能性（追
加的に省エネ対策を図ることのできる割合を推計）を把握することが
できます。

「ゼロカーボンアクション30」は、衣食住・移動・買い物など日常生活における脱炭素行動と暮らしにおけるメリットを整理したもので、具体的な脱炭素行動に対する共感・関心を広げ自らの行動につなげることができるよう作成された。

### 図5－3－2　ゼロカーボンアクション30（令和4年度2月更新）

資料：環境省 HP
　　　https://ondankataisaku.env.go.jp/coolchoice/topics/20210826-01.html

## 5−4. 再エネの現実的な利用可能量を知る

「5−1. 脱炭素計画をつくる際に知っておきたい基礎知識」で述べたように、環境省が公表するREPOS（再生可能エネルギー情報提供システム）における再エネの導入ポテンシャル量と実際の利用可能量は異なります。

**図5−4−1**に示すように、REPOSの導入ポテンシャルは、事業性がよくないものも含み、事業性を考慮した場合の利用可能量は、発電量ベースで最大で15%〜80%程度に減少します。

また、導入ポテンシャルには、既に稼働中のFIT電源等も含まれるため、これらを除くと実際に使える量は更に減少します。

**表5−4−1**の再エネポテンシャル（発電）の合計をみると、「事業性を考慮した導入ポテンシャル」は、低位ケース10,954〜高位ケース26,186（億kWh/年）と幅があり、「導入ポテンシャルの発電量」75,225（億kWh/年）と比べ、低位ケースは1/7、高位ケースでも1/3程度に減少します。

しかしながら、低位ケースと高位ケースの基準は、FIT価格並みかFITよりも低いかであり、当該データが令和元年度であることを考慮すると、FIT価格が低下している現時点では、「事業性を考慮した導入ポテンシャル」は増加しているものと推測されます。

導入ポテンシャルを示す「設備容量」と「発電量」ですが、使用している単位には、以下のような意味があります。

---

設備容量：kW（仕事率の単位で、1秒当たりのエネルギー量、発電出力）
発 電 量：kWh（1時間当たりのエネルギー量で、kW×稼働時間数＝kWh）

---

（考慮されていない要素の例）
・系統の空き容量、賦課金による国民負担
・将来見通し（再エネコスト、技術革新）
・個別の地域事情（地権者意思、公表不可な希少種生息エリア情報）等

**図5－4－1　REPOSにおける導入ポテンシャルの定義**

**表5－4－1　我が国における再エネポテンシャル（令和元年度調査）結果まとめ**

| 再エネ種 | 区分 | 令和元年度推計結果[令和元年度再生可能エネルギーに関するゾーニング基礎情報等の整備・公開等に関する委託業務報告書] | | | | | 【参考】総合エネルギー統計（2020年度速報）※4 |
|---|---|---|---|---|---|---|---|
| | | 導入ポテンシャル※1 | | 事業性を考慮した導入ポテンシャル※2（シナリオ1（低位）～シナリオ3（高位）） | | | 発電電力量実績 |
| | | 設備容量（万kW） | 発電量（億kWh/年） | 設備容量（万kW） | 発電量（億kWh/年） | | 発電量（億kWh/年） |
| 太陽光 | 住宅用等※3 | 20,978 | 2,527 | 3,815~11,160 | 471~1,373 | | (内訳)・原子力 [388]・石炭 [3,101]・天然ガス [3,906]・石油等 [636]・水力 [784]・太陽光 [791]・風力 [90]・地熱 [30]・バイオマス [288] |
| | 公共系等※3 | 253,617 | 29,689 | 17~29,462 | 2~3,668 | | |
| | 計 | 274,595 | 32,216 | 3,832~40,622 | 473~5,041 | | |
| 陸上風力 | | 28,456 | 6,859 | 11,829~16,259 | 3,509~4,539 | | |
| 洋上風力 | | 112,022 | 34,607 | 17,785~46,025 | 6,168~15,584 | | |
| 中小水力 | | 890 | 537 | 321~412 | 174~226 | | |
| 地熱 | | 1,439 | 1,006 | 900~1,137 | 630~796 | | |
| 合計 | | 417,402 | 75,225 | 34,667~104,455 | 10,954~26,186 | | 10,013 |

※1　現在の技術水準で利用可能なエネルギーのうち、種々の制約要因（法規制、土地利用等）を除いたもの。
　　　中小水力のみ、既開発発電所分を控除している。
※2　送電線敷設や道路整備等に係るコストデータ及び売電による収益データを分析に加え、経済的観点から見て
　　　導入可能性が低いと認められるエリアを除いたもの。低位なシナリオ（FIT価格よりも低い売電価格）～高
　　　位なシナリオ（FIT価格程度）に分けて推計している。（シナリオ別導入可能量）
※3　住宅用等：商業施設、オフィスビル、マンション、戸建住宅等。
　　　公共系等：庁舎、学校、公民館、病院、工場、工業団地、最終処分場、河川敷、港湾、公園、農地等
※4　資源エネルギー庁 総合エネルギー統計 2020年度エネルギー需給実績（速報）

資料：我が国の再生可能エネルギー導入ポテンシャル 概要資料導入編（令和4年4月）

脱炭素に取り組む市町村にとって重要なのは、現実的に利用できる再エネ量を特定することです。特に経済性は、再エネの持続的な利用の点から不可欠な配慮事項となります。

　REPOSの導入ポテンシャルの値は、意欲的な最大限の可能性を示しているため、再エネを利用する需要側との近接性を考慮し、経済性を評価した上で、導入の判断をすることが重要です。

　**表5-4-2**は、上野村における再エネ導入に関するポテンシャルの一次評価です。一次評価では、REPOSの導入ポテンシャル、過去に独自に実施したポテンシャル調査の結果および住民、事業者への意向調査結果などにより、定性的な評価を実施しています。

　再エネは、電気か熱かの利用用途に分けて評価することが重要です。なぜなら、電気は電気、熱は熱のままで利用した方が、効率が良いからです。例えば、熱を電気に変換して利用すると、利用できるエネルギー量は元々あったエネルギー量の3割ほどに低下します。

# 表5−4−2　上野村における再エネ導入に関するポテンシャルの一次評価

| 再エネ種別 | | 供給形態 | | 現時点での導入 | エネルギー賦存量、バイオマス資源量等の状況 | アンケート調査の結果概要 | 評価 | 備考 |
|---|---|---|---|---|---|---|---|---|
| | | 熱 | 電気 | | | | | |
| 太陽光発電 | | | ● | ○ | 環境省データでは、住宅用で730kWの可能量あり。 | ■住民<br>導入済み4%<br>導入意向あり21%<br>■事業者<br>実績・意向なし | ○ | 導入意向が高い。 |
| 太陽熱利用 | | ● | | ○ | 環境省データでは、5TJ/年（設備容量）の可能量あり。 | ■住民<br>導入済み35%<br>導入意向あり17%<br>■事業者<br>導入2件 | ○ | 導入実績が多数。 |
| 風力発電 | | | ● | × | 環境省データでは、可能性なし。 | 調査対象外 | × | |
| 中小水力発電 | | | ● | × | 群馬県の既往調査では、採算性を有する設置箇所なし。 | 調査対象外 | × | |
| バイオマス | 林産 | ● | ● | ○ | 上野村の既往調査で、採算性を有する最大可能量（間伐材）は、8,900m³/年と算定された。 | 木質ペレット<br>■住民<br>導入済み17%<br>導入意向あり17%<br>■事業者<br>導入済み7件<br>導入意向あり3件<br>薪など<br>■住民<br>導入済み25%<br>導入意向あり14%<br>■事業者<br>導入済み1件<br>導入意向あり2件 | ◎ | 導入実績が多数で、資源量も豊富。 |
| | 農産 | ● | ● | × | 水田がないため、稲わら、もみ殻の利用はできない。 | 調査対象外 | × | |
| | 畜産 | ● | ● | × | いのぶたの出荷頭数　H30 135頭、R1 255頭、R2 257頭であるが、ここ数年は体制も整ってきて安定出荷できている。 | 調査対象外 | × | 家畜ふん尿、食品残さ、下水汚泥のミックス処理によるメタン発酵式のバイオガス利用が考えられるが、1日当たりの資源量が11kgと僅かなことから事業化は難しい。 |
| | 食品 | ● | ● | | きのこセンター<br>0.9t/年の廃棄物あり。 | 調査対象外 | | |
| | | | | | 十石みそ工場<br>2.2t/年の廃棄物あり（みその上澄み；塩分の強いみそ）。 | | | |
| | | | | × | いのぶたセンター<br>廃棄なし。屠畜場でブロック肉で引き上げてきて、ブロック肉は整形済みのためほぼ残渣が出ず、くず肉はミンチにしている。 | | | |

再エネ導入に関するポテンシャルの一次評価で、○と◎がついたものを対象に、定量的なポテンシャル評価を行います。

　上野村では、太陽光発電、太陽熱利用（温水器）および木質バイオマスを対象としました。

　バイオマス利用の場合、燃料源となるバイオマス資源の安定供給ができるかどうかが極めて重要であり、林業や畜産、食品製造業等の関係者を交えた現地調査による精査が必要です。

　メガソーラーやウィンドファームなどの自然環境への影響が懸念される再エネは、地域関係者との合意形成が不可欠であり、本当に導入できるところは限られます。

　また、再エネの供給と需要のバランス考慮も不可欠で、地域内での自家消費を基本とするのであれば、熱利用では特に供給設備と需要施設の近接性が欠かせません。

　**表５－４－３**は、上野村が脱炭素先行地域への応募以前に策定した「再生可能エネルギーの導入マスタープラン」における再エネポテンシャル量です。太陽光発電は、屋根置きを対象としており、建築年数による屋根の耐荷重やアンケート調査による導入意向に基づき、現実性を重視した数値となっています。

　一方、脱炭素先行地域の応募時には、公共施設への太陽光発電は、設置場所に建物の周辺空地も加え、木質バイオマス・コジェネは、林業振興の推進と一体的な取組みとして、未利用間伐材の利用量増加を図り、再エネ導入量を拡大しています。

　この点からは、現実的な利用量を押さえたうえで、更なる積み上げを目指す意欲的な取組みとなっています。

(続き)

| 再エネ種別 | | 供給形態 | | 現時点での導入 | エネルギー賦存量、バイオマス資源量等の状況 | アンケート調査の結果概要 | 評価 | 備考 |
|---|---|---|---|---|---|---|---|---|
| | | 熱 | 電気 | | | | | |
| バイオマス | 下水汚泥 | ● | ● | × | 上野村未利用資源活用施設にて、合計950kL/年のし尿、浄化槽汚泥、家畜尿が処理されている。 | 調査対象外 | × | 農産、畜産、食品のバイオマス資源と同様で、事業化は難しい。 |
| | 生ごみ | | ● | × | 分別回収され、全量（55 t /年）が有機たい肥の原料となっている。 | 調査対象外 | × | 現状の有機たい肥原料を維持。 |
| 地熱 | | ● | × | × | 環境省データでは、67TJ/年（設備容量）の可能量あり。 | 調査対象外 | △ | 実績がないため、実証試験が必要。 |
| 廃棄物 | | ● | ● | × | 生ごみ以外のごみは、村外の甘楽西部環境衛生施設組合で処理している。 | 調査対象外 | × | |

資料：上野村再生可能エネルギーの導入マスタープラン策定調査報告書（令和 4 年 2 月）

## 表5−4−3　上野村で2030年までに新規導入可能な再エネポテンシャル

| 再エネ種別 | | ポテンシャル量 | 算出式等 |
|---|---|---|---|
| 太陽光発電 | | 915(kW) | |
| | 公共施設 | 238(kW) | 設置可能面積（㎡）×面積当たりPV出力（kW/㎡）<br>・設置可能面積 2,387（㎡）<br>・面積当たりPV出力 0.1（kW/㎡） |
| | 村営住宅 | 302(kW) | 住宅ごとの ｛設置可能面積（㎡）×面積当たりPV出力（kW/㎡）×棟数｝の合計値 |
| | 住民・事業者 | 375(kW) | 導入意向ありの件数×1件当たりPV出力（kW/件）<br>・件数（アンケート21%より） 121件<br>・1件当たりPV出力（アンケート平均） 3.1（kW/件） |
| 太陽熱利用 | | | |
| | 住民・事業者 | 813(GJ) | 導入意向ありの件数×1件当たり熱容量（GJ）<br>・件数（アンケート17%より） 98件<br>・1件当たり熱容量 8.3（GJ） |
| 木質バイオマス | | | |
| | 木質ペレット | 1,027(t) | 最新のペレット生産量−2018年度におけるペレット需要量<br>・最新のペレット生産 2,500（ t /年）<br>・2018年度ペレット需要量 1,473（ t /年） |
| | 薪など | 160(GJ) | 導入意向ありの件数×1件当たり熱容量（GJ）<br>・件数（アンケート14%より） 80件<br>・1件当たり熱容量 2（GJ） |

資料：上野村再生可能エネルギーの導入マスタープラン策定調査報告書（令和 4 年 2 月）

# 5−5. 再エネ導入と省エネ対策の施策を検討する

　再エネの導入の可能性が整理できたところで、次は部門別にどのような取組みを行うのかを検討します。これは、ビジョンで整理した「政策」を部門別の「施策」へ落し込むことに当たります。

　**表5−5−1**は、上野村の脱炭素先行地域計画における部門別の施策一覧です。
　上野村の政策に当たるビジョンの概要は、①木質バイオマス、②太陽光発電・太陽熱利用、③省エネ、④ EV 化に分類されますが、市町村の特性に関わらず、政策的には、再エネ、省エネおよび運輸部門に関する EV 化に大別されると思われます。

　また、ビジョンの概要を部門別にみると、業務その他部門と家庭部門の対策が多くなっています。これは、脱炭素先行地域の申請条件の最重要事項が、民生部門（業務その他部門・家庭部門）の消費電力のカーボンニュートラル化であるためです。

　2030 年度までの再エネ導入と省エネ対策の施策を考えた場合、電力の再エネ化を図るとともに、熱利用の化石燃料系の消費を電気利用に転換する、いわゆる電化を推進することが現実的かつ効果的です。
　上野村では、地域の最大資源である木質バイオマスの活用に従来から取組んでいますが、単機能の発電のみではなく、発電時に排出される熱を回収（コージェネレーション）して、温水利用にも取組んでいます。
　また、導入する EV には、再エネよりグリーン電力を供給し、村内に新たに設ける EV ステーションは、蓄電池併設型の高性能な次世代型急速充電設備[x]とする計画です。

## 表5-5-1　上野村の脱炭素先行地域計画における部門別の施策一覧

| 部門・分野 | | ビジョン（政策） | | | | 計画（施策） |
|---|---|---|---|---|---|---|
| | | ① | ② | ③ | ④ | |
| 産業 | 製造業 | | | | | （既設：きのこセンターへの木質バイオマスCHP） |
| | 建設業・鉱業 | | | | | |
| | 農林水産業 | ○ | | | | 木質バイオマスボイラーの導入支援 |
| | | | ○ | | | 農業ハウスへのソーラーシェアリング事業 |
| | | ○ | | | | 木質バイオマスCHPによる熱供給 |
| 業務その他部門 | | | ○ | | | 民間事業者へのPVと蓄電池の同時設置 |
| | | | ○ | | | 公共施設へのPVと蓄電池の同時設置 |
| | | | | ○ | | 公共施設へのLED照明の設置 |
| | | ○ | | | | 公共施設への木質バイオマスCHPの設置 |
| | | | | ○ | | 役場新庁舎のZEB化 |
| | | | | | ○ | 指定避難所へのV2Hの設置と公用車のEV化 |
| | | ○ | | | | 木質バイオマスCHPによる熱供給 |
| 家庭部門 | | | ○ | | | 住宅へのPVと蓄電池の同時設置 |
| | | | | ○ | | 住宅へのLED照明の設置 |
| | | | | ○ | | 高齢者世帯へのポータブル蓄電池の配達サービス |
| | | | | ○ | | 省エネ家電への買換え支援 |
| | | | | ○ | | 村営住宅の断熱改修 |
| | | | ○ | | | ソーラー熱温水器の導入事業 |
| | | ○ | | | | ペレット・薪ストーブ導入事業 |
| 運輸部門 | 自動車（旅客） | | | | ○ | 公用車と自家用車のEV化とV2Hのセット導入 |
| | | | | | ○ | スクールバスのEV化 |
| | | | | | ○ | 次世代型急速充電ステーション |

【ビジョン政策の概要】
① 木質バイオマス（CHP、ペレット・薪ストーブ）
② 太陽光発電・太陽熱利用
③ 省エネ（ZEB・ZEH・LED/家電）
④ ＥＶ化

上野村以外の脱炭素先行地域のうち、市町村全域エリアで採択された高知県北川村についても再エネ導入と省エネ対策の施策を見てみましょう。

　北川村は、最大の地域資源が水力であり、上野村の木質バイオマスに対し、水力発電がビジョン施策の概要の①となっています。②以下は同様で、上野村とよく似た内容です。これは、脱炭素先行地域が、民生部門（業務系と家庭）の電力をカーボンニュートラルにすることが第一の条件のため、似た傾向になるのでしょう。

　なお、廃棄物の焼却により発生する $CO_2$ 排出量は、非エネルギー起源ですが、サーキュラーエコノミー[xi]（循環経済）の観点からは、廃棄物を減らし、非エネルギー起源の $CO_2$ 排出量を低減する取組みは重要です。
　上野村では、村内で発生する生ごみを全量堆肥化して、農地等で循環利用しています。

　サーキュラーエコノミーとは、従来の 3R の取組みに加え、資源投入量・消費量を抑えつつ、ストックを有効活用しながら、サービス化等を通じて付加価値を生み出す経済活動であり、資源・製品の価値の最大化、資源消費の最小化、廃棄物の発生抑止等を目指すものです。

### 表5－5－2　北川村の脱炭素先行地域計画における部門別の施策一覧

| 部門・分野 | | ① | ② | ③ | ④ | 計画（施策） |
|---|---|:-:|:-:|:-:|:-:|---|
| | | \_\_ ビジョン（政策）\_\_ | | | | |
| 産業 | 製造業 | | | | | |
| | 建設業・鉱業 | | | | | |
| | 農林水産業 | | ○ | | | ゆず栽培へのソーラーシェアリング事業 |
| 業務その他部門 | | ○ | | | | 新設の小水力発電による電力供給 |
| | | | ○ | | | 公共施設へのPVと蓄電池の同時設置 |
| | | | | ○ | | 小中統一校舎のZEB化 |
| | | | | ○ | | 村民会館へのLED照明の設置 |
| | | | | ○ | | 役場庁舎のZEB化 |
| | | | | ○ | | 省エネ家電への買換え支援 |
| 家庭部門 | | ○ | | | | 新設の小水力発電による電力供給 |
| | | | ○ | | | 住宅へのPVと蓄電池の同時設置 |
| | | | | ○ | | 省エネ家電への買換え支援 |
| | | | | ○ | | ヒートポンプ暖房・給湯器への取替え支援による電化 |
| 運輸部門 | 自動車（旅客） | | | | ○ | 公用車と自家用車のEV化 |
| | | | | | ○ | 路線バスのEV化 |
| | | | | | ○ | グリーンスローモビリティ（観光用）の導入 |
| | | | | | ○ | EVスタンドの整備 |

【ビジョン政策の概要】
① 水力発電
② 太陽光発電・太陽熱利用
③ 省エネ（ZEB・ZEH・LED/家電）
④ ＥＶ化

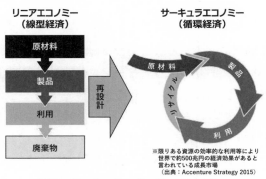

リニアエコノミー（線型経済）

原材料 → 製品 → 利用 → 廃棄物

再設計

サーキュラエコノミー（循環経済）

原材料　製品　リサイクル　利用

※限りある資源の効率的な利用等により
世界で約500兆円の経済効果があると
言われている成長市場
（出典：Accenture Strategy 2015）

### 図5－5－1　サーキュラーエコノミー

資料：オランダ「A Circular Economy in the Netherlands by 2050 -Government-wide
Program for a Circular Economy」（2016）より環境省作成
出典：環境省「令和3年版　環境・循環型社会・生物多様性白書」

# 5−6. 目標を設定しロードマップを作成する

ここでの目標は、以下の二つを指します。
1) 再エネ導入と省エネ対策の目標
2) 上記の施策による $CO_2$ 排出量の削減目標

1) の目標は、前項で検討した再エネ導入と省エネ対策の施策メニューを基に、具体的な数値目標（太陽光発電を全世帯の2分の1（1/2）に導入など）を仮設定し、2) の $CO_2$ 排出量の削減量・削減率を試算します。$CO_2$ 排出量の削減率は、国の目標であるエネルギー起源 $CO_2$ の削減率 45％（2013年度比）を基準に、これ以上の削減率を目指し、**図5−6−1**に示すように目標の基準である 45％を上回るよう、繰り返し検討します。

以上の目標設定方法により、化石燃料によるエネルギー消費量の削減を基本とした $CO_2$ 排出量の削減率が試算でき、将来低減が見込まれる電気の排出原単位による系統電力の低炭素化効果を正しく反映できます。

業務その他部門に含まれる公共施設は、地球温暖化対策実行計画（事務事業編）の対象であり、**図5−6−2**に示す地球温暖化対策推進法に基づく政府実行計画に準じて、目標値を設定することが求められています。

2030年度に向けた政府実行計画は、建築物の 50％以上へ太陽光発電の導入や全公用車の EV 化など、意欲的な内容となっています。

市町村の施策目標の設定にあたっては、政府目標を踏まえつつ、地域課題への効果を熟慮して優先順位付けを行うことが重要です。

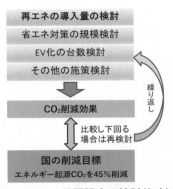

再エネの導入量の検討

省エネ対策の規模検討

EV化の台数検討

その他の施策検討

繰り返し

CO₂削減効果

比較し下回る
場合は再検討

国の削減目標
エネルギー起源CO₂を45%削減

## 図5−6−1　目標設定の検討サイクル

■ 政府の事務・事業に関する温室効果ガスの排出削減計画 (温対法第20条)

■ 今回、目標を、2030年度までに**50%削減** (2013年度比) に見直し。その目標達成に向け、**太陽光発電**の最大限導入、新築建築物の**ZEB化**、**電動車・LED照明**の導入徹底、積極的な**再エネ電力調達**等について率先実行。
　※毎年度、中央環境審議会において意見を聴きつつ、フォローアップを行い、着実なPDCAを実施。

**新計画に盛り込まれた主な取組内容**

### 太陽光発電
設置可能な政府保有の建築物
（敷地含む）の約**50%以上**に
太陽光発電設備を設置することを目
指す。

### 新築建築物
今後予定する新築事業については原則ZEB Oriented相当以上とし、2030年度までに新築建築物の平均で**ZEB Ready**相当となることを目指す。

### 公用車
代替可能な電動車がない場合等を除
き、新規導入・更新については2022
年度以降全て電動車とし、ストック
（使用する公用車全体）でも2030年度
までに**全て電動車**とする。

### LED照明
既存設備を含めた政府全体の
LED照明の導入割合を2030
年度までに**100%**とする。

### 再エネ電力調達
2030年までに各府省庁で調
達する電力の**60%以上**を
再生可能エネルギー電力とする。

### 廃棄物の3R＋Renewable
プラスチックごみをはじめ庁舎等から排出される廃棄物の**3R＋Renewable**を徹底し、
**サーキュラーエコノミー**への移行を総合的に推進する。

合同庁舎5号館内のPETボトル回収機

### 2050年カーボンニュートラルを見据えた取組
2050年カーボンニュートラルの達成のため、庁舎等の建築物における燃料を使用する設備について、脱炭素化された電力による電化を進める、
電化が困難な設備について使用する燃料をカーボンニュートラルな燃料へ転換することを検討するなど、当該設備の脱炭素化に向けた取組に
ついて具体的に検討し、計画的に取り組む。

## 図5−6−2　地球温暖化対策推進法に基づく政府実行計画の概要

注1：ZEB Oriented：30〜40%以上の省エネ等を図った建築物、
　　　ZEB Ready：50%以上の省エネを図った建築物
注2：電動車：電動車：電気自動車、燃料電池自動車、プラグインハイブリッド
　　　自動車、ハイブリッド自動車

資料：内閣官房HP
　　　https://www.kantei.go.jp/jp/singi/ondanka/kanjikai/dai44/sankou.pdf

ロードマップは、再エネ導入と省エネ対策の施策メニューを実施スケジュールとして、時系列に整理したものです。

　**図５－６－３**と**図５－６－４**は、上野村の脱炭素先行地域計画におけるロードマップです。目標年度は 2030 年度で、身近で実効性の見込まれる民生部門を主な対象としています。

　2050 年までのカーボンニュートラルを考えると、2030 年と 2050 年の中間にあたる 2040 年が重要であり、上野村の計画は 2040 年を見据えた 2030 年までの計画となっています。

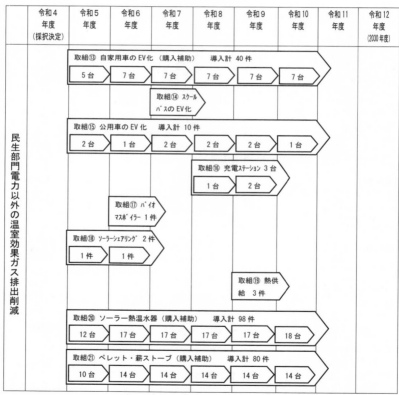

**図５－６－３　上野村の脱炭素先行地域計画におけるロードマップ（民生部門以外の部門）**

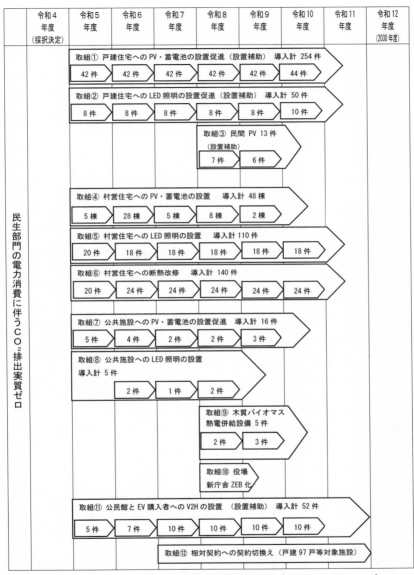

|  | 令和4年度（採択決定） | 令和5年度 | 令和6年度 | 令和7年度 | 令和8年度 | 令和9年度 | 令和10年度 | 令和11年度 | 令和12年度（2030年度） |
|---|---|---|---|---|---|---|---|---|---|
| 民生部門の電力消費に伴うCO₂排出実質ゼロ | | 取組① 戸建住宅へのPV・蓄電池の設置促進（設置補助） 導入計254件 | | | | | | | |
| | | 42件 | 42件 | 42件 | 42件 | 42件 | 44件 | | |
| | | 取組② 戸建住宅へのLED照明の設置促進（設置補助） 導入計50件 | | | | | | | |
| | | 8件 | 8件 | 8件 | 8件 | 8件 | 10件 | | |
| | | | | | 取組③ 民間PV 13件（設置補助） | | | | |
| | | | | | 7件 | 6件 | | | |
| | | 取組④ 村営住宅へのPV・蓄電池の設置 導入計48棟 | | | | | | | |
| | | 5棟 | 28棟 | 5棟 | 8棟 | 2棟 | | | |
| | | 取組⑤ 村営住宅へのLED照明の設置 導入計110件 | | | | | | | |
| | | 20件 | 18件 | 18件 | 18件 | 18件 | 18件 | | |
| | | 取組⑥ 村営住宅への断熱改修 導入計140件 | | | | | | | |
| | | 20件 | 24件 | 24件 | 24件 | 24件 | 24件 | | |
| | | 取組⑦ 公共施設へのPV・蓄電池の設置促進 導入計16件 | | | | | | | |
| | | 5件 | 4件 | 2件 | 2件 | 3件 | | | |
| | | 取組⑧ 公共施設へのLED照明の設置 導入計5件 | | | | | | | |
| | | | 2件 | 1件 | 2件 | | | | |
| | | | | | 取組⑨ 木質バイオマス熱電併給設備 5件 | | | | |
| | | | | | 2件 | 3件 | | | |
| | | | | | 取組⑩ 役場新庁舎ZEB化 | | | | |
| | | 取組⑪ 公民館とEV購入者へのV2Hの設置 （設置補助） 導入計52件 | | | | | | | |
| | | 5件 | 7件 | 10件 | 10件 | 10件 | 10件 | | |
| | | | 取組⑫ 相対契約への契約切換え（戸建97戸等対象施設） | | | | | | |

**図5－6－4　上野村の脱炭素先行地域計画におけるロードマップ（民生部門）**

# 5-7. 地域の課題解決による社会・経済効果を整理する

　「第2部　ビジョン編」では、関係者の賛同を得て合意のもと推進するため、ビジョンの達成による効果を分かりやすくイメージ図で示しました。

　ビジョンの達成による効果は、定性的な内容でしたが、基本計画ではより具体的に定量的な効果を示し、住民・事業者等の関係者との合意形成を深めます。
　ビジョンと同様に、上野村を参考に基本計画における社会・経済効果の例をみてみましょう。

　ビジョンにおける上野村の地域課題は、以下の四つでした。

| |
|---|
| 課題1　　林業の再生 |
| 課題2　　再エネを活用した災害に強い村づくり |
| 課題3　　公共サービスの持続 |
| 課題4　　移住から定住へ |

課題3と4に対する解決策は共通事項が多いため、一本化しました。

　基本計画で示す定量指標は、KPI[xii] を設定します。KPI とは「Key Performance Indicator」の略で、日本語では「重要業績評価指標」と呼ばれます。目標の達成度合いを評価する「中間指標」のことです。

　課題1の「林業の再生」は、KPI を「循環型木質バイオマス事業で使用する村内木質バイオマス利用量の増加」としています。従来からの取組みである林業とエネルギー利用である木質バイオマス事業の更なる発展を目指し、現在の利用量1,500t を 2,500t に拡大する計画です。

## 表5-7-1　地域固有の課題と脱炭素の取組みによる課題解決について

### ■林業の再生

| 地域固有の課題 |
| --- |
| 本村では、林業と木質バイオマス事業を一体的に取組んでおり、森林資源の一定の活用も進めてきた。しかし森林資源の賦存量からすると、さらに利用量を拡大することができる。林業の再生（林業の更なる振興）には、森林資源の最大活用による規模の拡大を図る必要があるため、木材伐採量を計画的に増加させ、バイオマス原材料を確保し、木質バイオマス利用量を拡大することが課題である。 |

| 先行地域の取組みによる地域課題解決について |
| --- |
| 村の総面積の95%を占める森林資源を最大限活用するため、路網整備や林業従事者の確保育成など林業基盤の強化を進めることで、林業事業体の経営安定化を図るとともに、木質バイオマスの原材料の供給量を増加させ、木質バイオマス発電設備の導入拡大を目指す。 |

| KPI（重要業績評価指標） | |
| --- | --- |
| 指標：　循環型木質バイオマス事業で使用する村内木質バイオマス利用量の増加 | |
| 現在（令和元年度）:1,500t | 最終年度：令和12年度　2,500t |
| KPI設定根拠 | 木質バイオマス熱電併給設備やストーブ等の導入促進により、木材利用量が増加するため。 |
| KPI改善根拠・方法 | 木質バイオマス事業の燃料となる木質ペレットは、未利用材や間伐材を原料として製造していることから、山の伐採などの作業が計画的に実施され、必要な原材料が安定的に確保されることで出口である発電所やボイラーなどの設備導入が進むことが見込まれるため。 |

### ■災害に強い村づくり

| 地域固有の課題 |
| --- |
| 災害の激甚化が懸念される中、高齢化率が45%を超える本村では、大規模災害時に地域の自主防災組織による対応には限界があり、各避難施設や公共施設等のライフラインを維持し、集落などの孤立を防ぐための対策が課題である。 |

| 先行地域の取組みによる地域課題解決について |
| --- |
| 「停電ゼロ」を目指して、令和3年度から取組む地域マイクログリッド事業を推進しつつ、すべての村営住宅、公共施設及び屋根の耐荷重等に支障のない戸建住宅に太陽光発電と蓄電池をセットで導入する。屋根の耐荷重や日照条件等の制約を受ける高齢者世帯で、避難所へ自力で移動が困難な住宅には、既存の配食サービス網等を活用して、再エネで充電したポータブルバッテリーの配達サービスを実施するなど、全村でレジリエンス強化とエネルギーコスト（電気代）の削減を同時達成することにより、非常時の防災対策と平常時の公共サービス維持へつなげる。 |

| KPI（重要業績評価指標） | |
| --- | --- |
| 指標：　災害時における停電世帯数 | |
| 現在（令和元年度）:　累計270世帯 | 最終年度：令和12年　77世帯以下 |
| KPI設定根拠 | 住宅への太陽光発電及び蓄電池の設置と、再エネで充電したポータブルバッテリーの配達サービスにより停電世帯が減少し、普段のエネルギーコストも減少するため。 |
| KPI改善根拠・方法 | 令和元年10月の大規模災害時には村内270戸が停電したが、2050年までに停電ゼロを目標としていることから、配食サービスやホームヘルパーなどの福祉関係者と連携をしつつ、地域の自主防災組織強化を村全体で構築し、事前避難等の対策をすることで、停電世帯は現在から7割程度減少させることができると見込む。 |

課題2の「災害に強い村づくり」は、KPIを「災害時における停電世帯数」としています。高齢化率が45%を超える上野村では、人的資源による災害時対応には限界があり、再エネを最大限活用した災害時のエネルギー供給網の整備が必要です。

　経済産業省の事業で進める地域マイクログリット事業の推進とともに、全世帯への太陽光発電と蓄電池をセットで導入することとしています。

　また、避難所に自力で移動が困難な高齢者世帯には、配食サービス等の福祉関係者と連携し、ポータブル蓄電池の配達サービスを行うなど工夫を凝らしています。

　課題3と4の「公共サービスの持続と移住・定住の促進」は、KPIを「計画期間中の移住者における定住化率の増加」としています。従来からの子育て支援等の移住支援策に加え、脱炭素に資するZEH対応型の村営住宅の整備により、更なる移住者の増加と定住を図る計画です。

　現在の定住化率40%を50%以上に向上することを目指しています。

## 表5−7−1　地域固有の課題と脱炭素の取組みによる課題解決について（続き）

### ■公共サービスの持続と移住・定住の促進

| 地域固有の課題 | | |
|---|---|---|
| 　本村の人口の約2割は村外からの移住者であり、就労先の創出や安価な村営住宅の提供をはじめ、子育て支援メニューの充実等の移住支援策による成果である。<br>　しかしながら、また、村の人口減や収入減の中で、多くの公共サービスを継続していくことが、維持管理コストの増大に伴い困難となりつつある。再エネ導入・省エネによりコスト負担削減を行うことで公共サービスの維持と家計の負担を軽減することで、村の魅力度・満足度を更に上げることが課題となっている。 | | |
| **先行地域の取組みによる地域課題解決について** | | |
| 　既設の村営住宅全数に太陽光発電と蓄電池をセットで導入し、電気代の削減と非常時の安心・安全を図ることにより、既存の移住者の定住を促進する。<br>　また、今後の住宅モデルとなる再エネと省エネ設備を設置したZEH対応型の村営住宅の新設により、エコな暮らしにこだわった環境整備をアピールすることにより、移住者の増加と新規の移住者の定住を促進する。 | | |
| **KPI（重要業績評価指標）** | | |
| 指標：計画期間中の移住者における定住率の増加 | | |
| 現在（令和4年4月）：40% | 最終年度：令和12年　50%以上 | |
| KPI設定根拠 | 　ZEH対応型の村営住宅を整備することで、より安心・安全な暮らしができるようになり、PR効果とも相まって移住者が増加する。<br>　既設の村営住宅も太陽光発電と蓄電池のセット導入により、エネルギーコスト（電気代）が削減され、可処分所得が増加することで将来への不安を軽減し、定住化率の増加につながる。 | |
| KPI改善根拠・方法 | 　村営住宅は地区の実情や土地の状況により整備が進められてきたが、環境面での配慮は優先事項ではなかった。今後の住宅の新設時や既設の住宅の改修時には、環境に配慮したZEH住宅とすることで、移住者が増加するとともに、定住化率も10%以上の増加ができると見込む。 | |

## 5-8. 関係者との連携体制と合意形成の基盤をつくる

　設定した目標とロードマップの着実な推進のために、関係者との連携体と合意形成の基盤を計画策定時に作ることが重要です。

　地域脱炭素は、行政のみではなく、地域一丸となり全員参加で推進するためには、様々な関係者（ステークホルダー）との連携と合意形成が不可欠だからです。

　このため、計画を作成するプロセスから関係者との協議により進め、一定の合意形成を図りつつ、事業実施にあたっての連携体制の構築を図ります。

　**表5-8-1**は、上野村が地域脱炭素先行地域（第2回）に応募する際の関係者との合意形成の調整に関する概要です。応募締切が令和4年8月26日でしたが、関係者への具体的な説明は、早いもので4カ月ほど前から開始しており、再エネを相対契約により供給する地域新電力は、申請締切前の7月に協議を開始しています。

　上野村は、再エネを接続する系統の空き容量が少なく、再エネの地産地消の活用には、送配電事業者との連携が重要でした。このため、送配電事業者と応募締切の2カ月前に連携協定を結び、再生可能エネルギー等の利活用、脱炭素化に向けたエネルギー転換等の施策を効果的かつ継続的に推進することで、脱炭素・資源循環型社会の実現およびレジリエンスの強化について協力いただくことを合意しました。

　合意形成の手法として、住民・事業者へのアンケートは有効です。アンケート依頼状で、地域脱炭素の基本的な考え方を共有し、回答結果をもとに施策を検討することにより、説得力が増します。

## 表5-8-1　上野村における関係者との合意形成の調整

| 関係者 | 役割 | 調整開始時期等 |
|---|---|---|
| 上野村 | 総合的な事業推進、関係者との各種調整・支援の役割を担い、需要家の掘り起こし、合意形成を主体的に行う。また、住宅に対して再エネ設備等設置に関する補助等を行い、設備設置を推進する。 | |
| 需要家<br>(住宅、民間施設、公共施設) | 自らの施設でのRE100を達成するため、自家消費による施設への再エネ設備の設置を基本に、日照条件等により設置が困難な住宅については、省エネ家電への買換え促進と相対契約への切換えにより、地域の再エネ地産地消を促進する。また、自家消費オンサイトの電力供給量が需要量に満たない民間施設と公共施設も相対契約に切り替える。 | 住民には、申請の11カ月前に脱炭素事業の説明と再エネの導入意向に関するアンケート調査及びヒアリング調査を実施。屋根置きの太陽光発電は、すべての行政区に説明を実施し、導入以降の確認できた世帯の合意を得た。 |
| 再エネ発電事業者<br>(PV設置の世帯主、民間事業者、上野村) | 自家消費オンサイトにより再エネ発電し、公共施設の余剰電力は、地域新電力に全量を売電する。 | 申請の2カ月前に説明を行い、再エネの導入促進について合意を得たが、一部は採択後に調整予定。 |
| 地域新電力<br>(株式会社中之条パワー) | 公共施設の再エネ発電設備で発電された再エネの余剰分を買い取るとともに、日照条件等により設置が困難な住宅と、自家消費オンサイトの電力供給量が需要量に満たない民間施設と公共施設に相対契約により再エネ電力を供給する。 | 群馬県内の既存の地域新電力である株式会社中之条パワーとは、本年7月に協議を開始。 |
| 金融機関 | 民間施設、公共施設、一般需要家への設備導入がよりスムーズに推進できるように脱炭素を含めた包括的な連携協定に基づく協力をする。 | 4カ月前から、地元銀行と協議を重ね連携協定等への理解を得た。 |
| 送配電事業者<br>(東京電力パワーグリッド株式会社) | 送電システムの維持管理を行い、地域の安定した電力供給を支えるほか、電力小売事業者からの系統連携等の要望に対し積極的に応じる。 | 令和4年6月29日にゼロカーボンシティ実現に向けた共創の推進に関する連携協定書を締結。村の中心部の先行地区における地域マイクログリッドは、令和4年度に協力いただき構築を終えた。 |
| 上野村森林組合等 | 上野村における森林整備などの事業は、上野村森林組合をはじめ、村内4つの林業事業体と連携して取り組んでいる。 | 木質燃料の安定供給と循環利用について、平成27年10月に群馬森林管理署と国有林からの安定的・持続的供給の方策についての「上野村森林資源循環利用推進協定」を締結済みであり、民有林だけでなく、上野村の森林の40.7%を占める国有林からの森林資源供給も確保されている。 |
| 上野村木質ペレット燃料製造工場 | 2011年より供用開始しており、現在の原木受入量は、合計で約4,200㎥/年である。本計画に沿った間伐材の調達と燃料製造の拡大を図り、木質燃料を安定的に供給する。 | 上野村木質ペレット燃料製造工場は、2011年より供用開始しており、本計画に沿った間伐材の調達と燃料製造の拡大について合意済み。 |

図5-8-1は、上野村の地域脱炭素先行地域計画提案書における関係者との連携体制です。

　上野村は、2011年度よりペレット工場を稼働開始しており、年間4,000 ~ 5,000㎥の未利用間伐材を森林組合と民間3事業者から受け入れ、年間1,500tのペレットを製造しています。ペレット工場の整備とともに、ボイラー、ストーブおよびコジェネ設備の導入・整備に取り組んできており、これまでペレットボイラーの累計出力は約1,500kW、ペレットストーブは80台、コジェネ設備（発電出力180kW、熱出力270kW）は1台を導入しています。

　ペレットの原料となる未利用間伐材は、これまで比較的施業のしやすいカラマツ、スギ等の針葉樹を中心としてきましたが、今後の拡大に向け、上野村の森林面積の63%を占める広葉樹の活用を図るため、国立研究開発法人新エネルギー・産業技術総合開発機構（NEDO）の実証事業に令和5年度より取組んでいます。


　既往の取組みをベースとした木質バイオマスの活用拡大に対し、地域新電力との連携は初めての取組みとなりました。

　脱炭素先行地域の要件のうち、最も重要な要件が「2030年度までに、先行地域内の民生部門の電力消費に伴う$CO_2$排出量の実質ゼロの実現」であることから、先行地域内で再エネにより発電したグリーン電力をグリーン電力として地産地活するには、地域新電力の存在が欠かせません。

　上野村では、独自に地域新電力を立ち上げることも検討しましたが、電力需要規模の小さな自治体では、新たに地域新電力を作るのは困難であったため、群馬県内の既存の地域新電力である中之条パワーとの連携体制としました。具体的には、公共施設の再エネ余剰電力を中之条パワーに売電し、その電力をもって、太陽光発電の導入が難しい世帯と自家消費の再エネ供給量が不足する民間施設に電力を供給するスキームを検討しました。

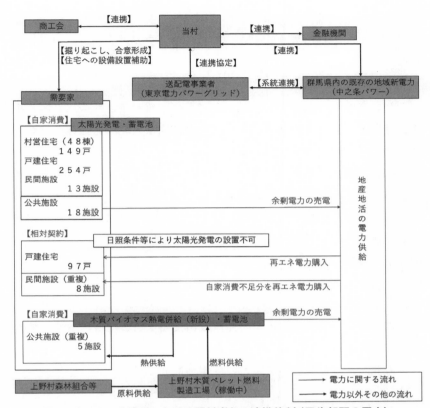

**図5-8-1　上野村における関係者との連携体制（民生部門の電力）**

関係者との連携体制についてビジョンのイメージ図で取り上げた北川村のケースも見てみましょう。**図5-8-2**が、北川村の連携体制です。

　北川村で主力となる再エネは、上野村の木質バイオマスに対し、小水力発電です。再エネ発電事業は、一般社団法人北川村振興公社が担い、再エネの安定供給に努めます。
　更に、農林水産省事業で実証実験を行ってきたスマート農業や現在北川村地域活性化協議会で引き継いでいるローカル5G事業と連動しながら、村保有園地でのソーラーシェアリングの導入を行い、電力事業者（四国電力）に対して村内全域の民生部門を賄える再エネを供給する計画となっています。

　電力事業者は、2社が連携先となっています。
　四国電力は、需要家の再エネ発電設備で発電された再エネの余剰分を相対契約で買い取るとともに、再エネ発電事業者から再エネを調達し、需要家に対して再エネ電力の供給を推進します。

　もう1社の電源開発は、既設ダムのバイパス放流設備を国交省の補助を受け、高知県との共同事業により実施しています。このため、既設ダムに村が整備する小水力発電設備用地を提供するとともに、発電所運営に係る協定書を締結し、村内の再エネ電力不足時には非化石証書 [xiii] 付再エネ等を調達する計画となっています。また、公社へ専門家を派遣するなど、村が整備する水力発電設備の運営全般について技術サポート・助言も行う予定です。

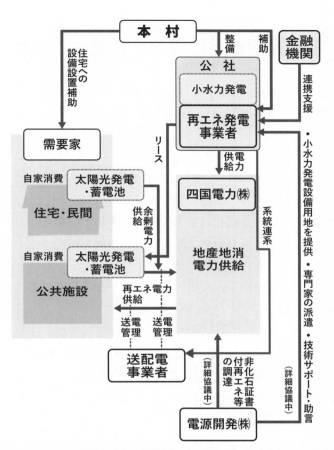

図5-8-2　北川村における関係者との連携体制（民生部門の電力）

# 5−9. 計画推進に係る庁内体制を検討する

　地域脱炭素計画は、市町村が主体となり、主な関係者も参加する地域協議会等の会議体で策定し、市町村がイニシアティブを持って推進するものです。

　このため、市町村における推進体制は、実効性の高いものにしましょう。

　推進体制は、地球温暖化対策実行計画（事務事業編）における推進体制をベースとしても良いのですが、実行計画を一度つくったきり更新されていないとか、実績のフォローアップが十分でないものが散見されますので、地域脱炭素計画の作成時に一から見直すことも必要かと思われます。

　地域脱炭素計画は、地球温暖化対策実行計画の「区域施策編」と関連性が強いことから、地域脱炭素計画の作成により、「事務事業編」と「区域施策編」を一体化した地球温暖化対策実行計画を策定することが望まれます。

　図5−9−1は、PDCA サイクルに基づく上野村の地球温暖化対策実行計画のマネジメント体制です。関係各課を横断する体制として、「ゼロカーボン推進チーム」を設け、庁外体制の「上野村の脱炭素を考える会」との情報共有と連携を図り、着実な事業推進を目指しています。

　ところで、策定した地域脱炭素計画のうち事務事業編の範囲については、担当各課を競い合わせるのも一考かと思います。$CO_2$ 排出量の削減率を KPI とし競争原理を持ち込めば、計画推進に弾みがつくかもしれません。

【第２次上野村地球温暖化対策実行計画（事務事業編）のマネジメント体制】

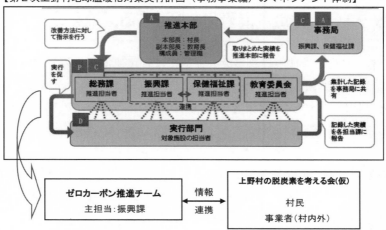

| 推進本部 | 村長を本部長、教育長を副本部長とし、その他、管理職級職員等の構成員をもって組織する。計画の策定、見直し及び計画の推進点検を行い、改善方法について指示を行う。 |
|---|---|
| 推進担当者 | 各課に１名以上の「推進担当者」を置く。「推進担当者」はエネルギー消費量・地球温暖化対策の具体的な取組について実行部門の記録を集計することで計画の推進及び進捗状況を把握しつつ事務局と点検し、計画の総合的な推進を図る。また、年１回開催する会議において横断的に情報共有を行い、必要に応じて計画推進のために有効な改善方策を検討する。 |
| 事務局 | 事務局を振興課、保健福祉課が担う。各課の推進担当者より集計した実績を取りまとめ、計画全体の推進及び進捗状況を把握し、総合的な進行管理を行う。 |
| 実行部門 | 省エネ・再エネに係る取組を行うとともに、エネルギー消費量・地球温暖化対策の具体的な取組を記録する。 |

**図５－９－１　上野村における地域脱炭素計画の推進体制**

# 5−10. 地域脱炭素化を促進する区域を設定する

「5−1.(5) 地域脱炭素事業の促進には官民連携が必須」で前述したように、改正温対法では、地域脱炭素化促進事業制度が導入され、促進区域において民間事業者が地域共生型の再エネ事業の導入拡大を図ることが期待されています。

地域脱炭素化促進事業制度による促進区域の設定は、区域施策編の範囲内のため、市町村は努力義務ですが、地域の特色ある再エネは、積極的に促進区域を設定することをお勧めします。

促進区域を設定することにより、環境影響評価手続きの簡略化や許認可手続きのワンストップ化ができるなど、再エネ事業に取組む民間事業者のメリットがあるため、地域の産業振興に資する新たな民間事業者の参入が期待できます。

また、促進区域における再エネ導入は、地域共生型再エネとなるため、地域の環境保全を図りつつ、地域の経済・社会の持続的発展が可能となります。

地域脱炭素化促進事業制度における再エネ設備は、**表5− 10 − 1**に示す発電設備と熱供給設備が対象となっています。

メガソーラーやウィンドファームといった大規模な再エネ設備は、地元への説明不足により、住民の反対運動に発展し、事業が中止となるケースも少なからず発生しており、再エネ設備の設置に関し、条例やガイドラインによる規制も増加しています。

このため、今後は地域での円滑な合意形成を促すポジティブゾーニング[xiv] の仕組みを取り入れた促進区域の設定が重要になります。

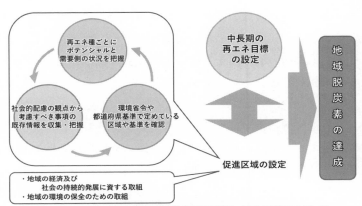

**図5−10−1　地域脱炭素化促進事業に係る促進区域とは**

資料：環境省「地域脱炭素のための促進区域設定等に向けたハンドブック
　　　（第2版）」（2022年6月）

**表5−10−1　地域脱炭素化促進事業における再エネ対象設備**

| 発電設備 | 熱供給設備 |
|---|---|
| 太陽光、風力<br>中小水力、地熱<br>バイオマス | 地熱、太陽光<br>大気中の熱その他の自然界に存する熱<br>バイオマス |

資料：環境省「地域脱炭素のための促進区域設定等に向けたハンドブック
　　　（第2版）」（2022年6月）

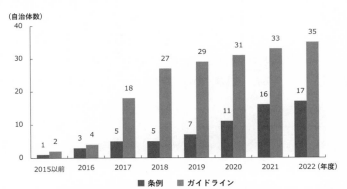

**図5−10−2　北海道内における条例・ガイドラインの策定　自治体数の推移
　　　　　　（2022年9月時点）**

資料：経済産業省北海道経済産業局「北海道における再エネ条例等の制定状況」
　　　（2023年1月27日）
　　　https://www.hkd.meti.go.jp/hokne/20230127_2/outline.pdf

なお、脱炭素先行地域の区域は、地域脱炭素化促進事業制度の促進区域とは異なり、民生部門の電力需要のカーボンニュートラルを第一義として、他部門の取組みを考慮の上、関係者との合意形成を図りつつ先導的に脱炭素を図るエリアを設定しています。

　一方、促進区域は、環境トラブルや土砂災害等の災害などの再エネ導入によるネガティブな問題に対し、地域の環境保全を図りつつ、地域の経済・社会の持続的発展が可能となる地域共生型再エネの創出を目指すものです。何れも関係者との合意形成を前提条件とする点は共通です。

　環境省が2022年6月に出した「地域脱炭素のための促進区域設定等に向けたハンドブック（第2版）」では、具体的な事例や実務的な手順を分かりやすく整理しています。ハンドブックでは、**表5－10－2**のように促進区域の抽出方法を4種類示しています。二つめの地区・街区指定型は、対象とする部門を民生部門以外にも展開すれば、脱炭素先行地域の区域に重なるものと考えられます。

　**図5－10－3**は、福島県浪江町における太陽光発電のゾーニングマップです。促進区域の抽出方法の一つめにある広域的ゾーニング型に該当します。ゾーンは以下の三つに分類され、環境保全の取組みを担保しています。

```
1）自然環境保全ゾーン
2）再エネ導入調整ゾーン
3）再エネ導入促進ゾーン
```

## 表5−10−2　促進区域抽出の方法

| 類型 | 具体的な内容 |
|------|-------------|
| **1）広域的ゾーニング型** | 環境情報等の重ね合わせを行い、関係者・関係機関による配慮・調整の下で、広域的な観点から、促進区域を抽出します。 |
| **2）地区・街区指定型** | スマートコミュニティの形成やPPA※普及啓発を行う地区・街区のように、再エネ利用の普及啓発や補助事業を市町村の施策として重点的に行うエリアを促進区域として設定します。 |
| **3）公有地・公共施設活用型** | 公有地・公共施設等の利用募集・マッチングを進めるべく、活用を図りたい公有地・公共施設を促進区域として設定します。 |
| **4）事業提案型** | 事業者、住民等による提案を受けることなどにより、個々のプロジェクトの予定地を促進区域として設定します。 |

※PPA：Power Purchase Agreement（電力販売契約）の略称です。オンサイトPPAモデルとして、敷地内に太陽光発電設備を発電事業者の費用により設置し、所有・維持管理をした上で、発電設備から発電された電気を需要家に供給する仕組み等があります。

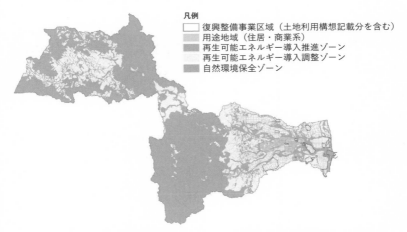

凡例
- ☐ 復興整備事業区域（土地利用構想記載分を含む）
- 用途地域（住居・商業系）
- 再生可能エネルギー導入推進ゾーン
- 再生可能エネルギー導入調整ゾーン
- 自然環境保全ゾーン

### 図5−10−3　太陽光発電のゾーニングマップ例（福島県浪江町）

資料：環境省「地域脱炭素のための促進区域設定等に向けたハンドブック（第2版）」
　　　（2022年6月）
元資料：浪江町再生可能エネルギー推進計画（平成30年3月 福島県浪江町）

促進区域の設定とともに、中長期的にはコンパクトシティ化などの
土地利用計画により、都市構造の集約化を図ることも重要です。

　国土交通省では、コンパクト・プラス・ネットワークをコンセプト
に地域公共交通と連携し、まちなかへ住まいや都市機能を誘導する都
市構造の集約化を推進しています。

　図5－10－4は、都市のコンパクト化による$CO_2$排出量につい
て、高知市と前橋市を比較したものです。$CO_2$排出量は、運輸旅客部
門を対象にしており、市街地の人口密度が高い高知市が、一人当たり
の$CO_2$排出量が少なくなっていることが分かります。

　小規模な市町村においては、バス路線を基本とする公共交通の拠点
施設の複合化による集約や民間活力の導入により、コンパクト・プラ
ス・ネットワークを誘導する促進区域の設定も可能と考えられます。

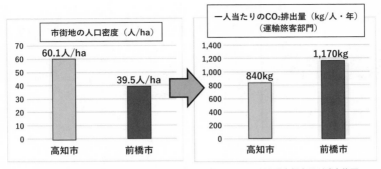

出典：平成18年版環境白書を元に、平成27年国税調査等により国土交通省都市局が時点修正

|  | 人口（平成27年国勢調査） | 市街化区域面積 |
|---|---|---|
| 高知市 | 33.7万人 | 5,072ha |
| 前橋市 | 33.6万人 | 4,941ha |

**図5－10－4　都市のコンパクト化とCO₂排出量の例**
**（高知市と前橋市の比較）**

資料：国土交通省 都市計画部会 都市計画基本問題小委員会
　　　「コンパクトシティに関する最近の話題」
　　　https://www.mlit.go.jp/toshi/city_plan/content/001489164.pdf

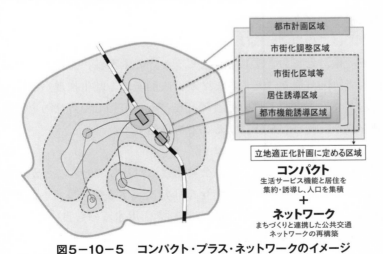

**図5－10－5　コンパクト・プラス・ネットワークのイメージ**

資料：国土交通省 都市計画部会 都市計画基本問題小委員会
　　　「コンパクトシティに関する最近の話題」

# 6. 国の支援施策を活用した計画づくり

　ここまで、地域脱炭素のビジョンの策定と基本計画づくりの手順について見てきました。

　ビジョン策定は、市町村内の体制で可能としても、基本計画づくりは、関係者による地域協議会などを設け、エネルギー使用量や $CO_2$ 排出量などの専門的な検討が必要なことから、専門コンサルへの業務委託が必要です。業務委託費は、まとまった額の支出となるため、国の支援施策（補助金・交付金）を活用しましょう。

　ビジョンの策定と基本計画づくりに活用できる国の支援策は、環境省の「地域脱炭素実現に向けた再エネの最大限導入のための計画づくり支援事業」があります。
　ただし、この申請時には、ビジョンの素案が必要ですので、市町村内で予め検討しておきましょう。ビジョンの素案は、意欲があれば市町村内で対応可能と考えられますが、内閣府地方創生推進室が実施しているグリーン専門人材の派遣制度なども活用して、外部の専門家の意見を取り入れながら検討することも可能です。

　基本計画づくりと並行して、公共施設に対し今できることから始める「地域レジリエンス・脱炭素化を同時実現する公共施設への自立・分散型エネルギー設備等導入推進事業」を活用するのも良いでしょう。
　この事業は、災害時に避難所となる施設を対象に、再エネや蓄電池等を導入し、非常時のレジリエンス強化と平時の脱炭素化を図るものです。

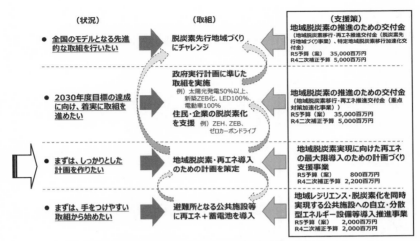

**図6−1−1　地方自治体の状況に応じた取組と支援策のイメージ**

資料：環境省「地域脱炭素の取組における官民連携の推進」（2023年2月3日）

「地方創生×脱炭素」支援パッケージ

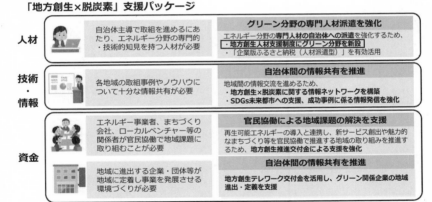

**図6−1−2　内閣府のグリーン専門人材派遣制度（地方創生人材支援制度）**

しっかりとした地域脱炭素計画ができると次は、以下の二つの事業が活用できます。
　1）重点対策加速化事業
　2）脱炭素先行地域づくり事業

　この二つは、「地域脱炭素移行・再エネ推進交付金」によるもので、重点対策加速化事業は、政府実行計画に準じた取組みを重点的に支援するものです。

　脱炭素先行地域づくり事業は、本書における事例として取り上げた上野村が第2回の公募で採択されていますが、全国のモデルとなることから、大変難易度が高いものとなっています。令和4年から令和5年まで4回の募集が行われ74件（全国36道府県95市町村）の地域が選ばれています。募集は2025年度まで年2回ほど行われる予定です。

## 地域脱炭素実現に向けた再エネの最大限導入のための計画づくり支援事業のうち、（1）地域再エネ導入を計画的・意欲的に進める計画策定支援

地域の再エネ目標や脱炭素事業の検討に係る計画策定等を支援します。

**1. 事業目的**　2050年カーボンニュートラルの実現に向け、地域の再エネ目標やその実現に向けた意欲的な脱炭素の取組の検討、公共施設等への太陽光発電設備等の導入調査の実施による地方自治体の計画策定を支援するとともに、地域の経済・社会的課題の解決に資する地域再エネ事業の実施・運営体制の構築などを支援することで、地域における再エネの最大限導入を図る。

**2. 事業内容**

① 地域の再エネ目標と意欲的な脱炭素の取組の検討による計画策定支援
地域のCO2削減目標や再エネポテンシャル等を踏まえた再エネ目標、目標達成に必要となる意欲的な脱炭素の取組、施策の実施方法や体制構築等の検討に関する調査等を支援するとともに、これらを踏まえた計画策定を支援する。

② 公共施設等への太陽光発電設備等の導入調査支援
公共施設等における太陽光発電設備等の発電量調査や日射量調査、屋根・土地形状等の把握、現地調査等、太陽光発電その他の再エネ設備の導入に向けた調査検討を支援する。

③ 官民連携で行う地域再エネ事業の実施・運営体制構築及び事業の多角化支援
地域再エネ事業の事業スキーム、事業性、事業体（地域新電力等）設立に必要となるシステム構築、事業運営体制構築や、地域脱炭素及び地域経済循環に資する多様な事業の多角化に必要な予備的実地調査等を支援する。

④ 官民連携等への再エネ導入加速化及び計画策定支援事業
ガイドラインを活用した第三者所有モデル等の普及や地方公共団体による計画的な再エネ導入の促進のための支援ツール等を作成し、地域再エネ導入を加速させる。

**3. 事業スキーム**

■事業形態　①間接補助3／4、2／3（上限800万円）　②間接補助3／4（上限800万円）
③地方公共団体 2／3、1／2、1／3（上限2,000万円）　④委託事業

■補助・委託対象　①地方公共団体、民間事業者・団体等　④民間事業者、団体等

■実施期間　令和3年度～令和7年度　※（1）は令和4年度～、④は令和6年度～

**4. 事業イメージ**

計画的・段階的な脱炭素への取組へ

**図6−1−3　地域脱炭素実現に向けた計画づくりに関する支援事業**

**表6−1−1　地域脱炭素の推進のための交付金**

| 事業区分 | （1）地域脱炭素移行・再エネ推進交付金 | | （2）特定地域脱炭素移行加速化交付金【GX】 |
|---|---|---|---|
| | 脱炭素先行地域づくり事業 | 重点対策加速化事業 | |
| 交付要件 | ○脱炭素先行地域に選定されていること（一定の地域で民生部門の電力消費に伴うCO2排出実質ゼロ達成 等） | ○再エネ発電設備を一定以上導入すること（都道府県・指定都市・中核市・施行時特例市：1MW以上、その他の市町村：0.5MW以上） | ○脱炭素先行地域に選定されていること |
| 対象事業 | 1）CO2排出削減に向けた設備導入事業（1又は2は必須）<br>①再エネ設備整備（自家消費型、地域共生・地域裨益型）<br>地域の再エネポテンシャルを最大限活かした再エネ設備の導入<br>・再エネ発電設備：太陽光、風力、中小水力、バイオマス等（公共施設等への太陽光発電設備導入はPPA等に限る）<br>・再エネ熱利用設備／未利用熱利用設備：地中熱、温泉熱 等<br>②基盤インフラ整備<br>地域再エネ導入・利用最大化のための基盤インフラ設備の導入<br>・自営線、熱導管<br>・蓄電池、充放電設備等<br>・再エネ由来水素関連設備<br>・エネマネシステム　等<br>③省CO2等設備整備<br>地域再エネ導入・利用最大化のための省CO2等設備の導入<br>・ZEB・ZEH、断熱改修<br>・ゼロカーボンドライブ（電動車、充放電設備等）<br>・その他省CO2設備（高効率換気・空調、コジェネ等）<br>2）効果促進事業<br>1）「CO2排出削減に向けた設備導入事業」と一体となって設備導入の効果を一層高めるソフト事業　等 | ○①～⑤のうち2つ以上を実施　（1又は2は必須）<br>①屋根置きなど自家消費型の太陽光発電 ※<br>（例：住宅の屋根等に自家消費型太陽光発電設備を設置する事業）<br>※公共施設への太陽光発電設備導入はPPA等に限る<br>②地域共生・地域裨益型再エネの立地<br>（例：未利用地、ため池、廃棄物最終処分場等に再エネ設備を設置する事業）<br>③業務ビル等における徹底した省エネ・さらなる省エネ等のZEB化誘導<br>（例：新築・改修予定の業務ビル等において省エネ設備の大規模導入を進める事業）<br>④住宅・建築物の省エネ性能等の向上<br>（例：ZEH、ZEH+、既築住宅の断熱改修事業）<br>⑤ゼロカーボン・ドライブ ※<br>（例：地域住民のEV購入事業、EV公用車を活用したカーシェアリング事業）<br>※再エネとセットでEV等を導入する場合に限る | ○民間裨益型自営線マイクログリッド等事業<br>官民連携により民間事業者が裨益する自営線マイクログリッドを構築する地域等において、温室効果ガス排出削減効果の高い再エネ・省エネ・蓄エネ設備等の導入を支援する。 |
| 交付率 | 原則2／3 | 2／3～1／3、定額 | 原則2／3 |
| 事業期間 | おおむね5年程度 | | |
| 備考 | ○複数年度にわたる交付金事業計画の策定・提出が必要（計画に位置づけた事業は年度間調整及び事業間調整が可能）<br>○各種設備整備・導入に係る調査・設計等や設備設置に伴う付帯経費等は対象に含む<br>○経済成長に資する地域の脱炭素への移行を加速化するための経費については、予算編成過程において検討する | | |

資料：環境省 脱炭素ポータル　https://ondankataisaku.env.go.jp/carbon_neutral/

「地域脱炭素移行・再エネ推進交付金」の活用には、先ずはしっかりとした地域脱炭素のビジョンと計画をつくることが不可欠ですが、紹介した支援施策の補助率は 3/4 であり自己負担分の予算組みが必要となります。このため、地方財政措置による負担軽減策を検討しましょう。

　地域脱炭素の計画づくりにおいては、右に示す地方財政措置が利用可能です。補助率により実質的な地方負担は、補助率 1/3 の場合で約 20％、補助率 2/3 の場合は約 10％となります。

　令和 5 年度からは、地方公共団体が脱炭素化の取組みを計画的に実施できるよう、地方財政措置として新たに「脱炭素化推進事業債」が創設されています。脱炭素化推進事業債は、公営企業の脱炭素化にも利用可能です。
　なお、詳細については、地方財政措置の所管省庁である総務省自治財政局地方債課までご相談ください。

　基本計画ができたら、次は第 1 部で総括した様々な国の支援事業を上手に活用しロードマップを遂行して、地域脱炭素を実現しましょう。

## 表6−1−2　自己負担分の財源に活用が考えられる主な地方財政措置

| | 脱炭素化推進事業債 | 公営企業債<br>（脱炭素化推進事業） | 過疎対策事業債 | 防災・減災・国土強靱化<br>緊急対策事業債 |
|---|---|---|---|---|
| 起債充当率 | 90% | ・地方負担額の1/2※に公営企業債（脱炭素化推進事業）を充当（残余（地方負担額の1/2）については、通常の公営企業債を充当）※電動バス等の導入については増高経費 | 100% | 100% |
| 交付税措置 | 事業ごとに元利償還金の30〜50%を基準財政需要額に算入 | 事業ごとに元利償還金の30〜50%を基準財政需要額に算入 | 元利償還金の70%を基準財政需要額に算入 | 元利償還金の50%を基準財政需要額に算入 |
| 対象事業 | ● 地球温暖化対策推進法に規定する地方公共団体実行計画（事務事業編）に基づいて行う公共施設等の脱炭素化のための以下の事業【単独】<br>①再生可能エネルギーの導入注1<br>②公共施設等のZEB化注2、3<br>③省エネルギー改修注4<br>④LED照明の導入<br>⑤電動車の導入（EV、FCV、PHEV） | 脱炭素化推進事業債と同様の事業のほか、公営企業に特有の以下の事業<br>・小水力発電（水道事業・工業用水道事業）【単独】<br>・バイオガス発電、リン回収施設等（下水道事業）【単独・補助】<br>・電動バス等の導入（EV、FCV、PHEV）（交通事業（バス事業））【単独】 | 過疎市町村が市町村計画に基づいて行う以下の事業<br>● 太陽光、バイオマスを熱源とする熱その他の再生可能エネルギーを利用するための施設で公用又は公共の用に供するものの整備【単独・補助】注1<br>● 過疎の対象施設の整備として行われる省エネ設備の導入【単独・補助】 | 「防災・減災、国土強靱化のための5か年加速化対策」（令和2年12月11日閣議決定）に基づく補助事業注5 |

（注1）売電を主たる目的とする場合、具体的には、発電量に占める売電の割合が50%を超えると見込まれる場合や再生可能エネルギー電気の利用の促進に関する特別措置法（平成23年法律第108号）に基づくFIT・FIP制度の適用を受けて売電をする場合は、対象外。
（注2）ZEB基準相当「地球温暖化対策計画（令和3年10月22日閣議決定）」における「ZEB基準」又は「政府がその事務及び事業に関し温室効果ガスの排出の削減等のため実行すべき措置について定める計画の実施要領（令和3年10月22日地球温暖化対策推進本部幹事会申合せ）」における「ZEB Oriented相当）」に適合するための公共施設等の改修及びZEB基準相当の公共施設等の新築・改築。
（注3）ZEB基準相当又は省エネ基準を満たすことについて第三者認証を受けている施設に係る事業であること。
（注4）省エネ基準＝省エネ改修後のBEI（設計一次エネルギー消費量を基準一次エネルギー消費量で除した値）が1.0以下（ただし、平成28年4月1日時点で現に存するものは、BEIが1.1以下。）に適合するための、公共施設内等の改修事業。
（注5）「地域レジリエンス・脱炭素化を同時実現する公共施設への自立・分散型エネルギー設備等導入推進事業」（防災・減災、国土強靱化のための5か年加速化対策分）が該当。

---

### 1．脱炭素化推進事業債（仮称）の創設

【対象事業】
地方公共団体実行計画に基づいて行う
公共施設等の脱炭素化のための地方単独事業
（再生可能エネルギー、公共施設等のZEB化、省エネルギー、電動車）

【事業期間】
令和7年度まで
（地球温暖化対策計画の地域脱炭素の集中期間と同様）

【事業費】
1,000億円

【地方財政措置】　脱炭素化推進事業債

| 対象事業 | 充当率 | 交付税措置率 |
|---|---|---|
| 再生可能エネルギー（太陽光・バイオマス発電、熱利用等）公共施設等のZEB化 | 90% | 50% |
| 省エネルギー（省エネ改修、LED照明の導入） | 90% | 財政力に応じて30〜50% |
| 公用車における電動車の導入（EV、FCV、PHEV） | 90% | 30% |

※ 再エネ・ZEB化は、新築・改築も対象

### 2．公営企業の脱炭素化

公営企業については、脱炭素化推進事業債と同様の措置に加え、公営企業に特有の事業（小水力発電（水道事業等）やバイオガス発電、リン回収（下水道事業）、電動バス（EV、FCV、PHEV）の導入（バス事業）等）についても措置
※ 専門アドバイザーの派遣（総務省・地方公共団体金融機構の共同事業）により、公営企業の脱炭素化の取組を支援

### 3．地方団体におけるグリーンボンドの共同発行

地方債市場におけるグリーンボンド等（ESG債）への需要の高まりを受け、初めて共同債形式でグリーンボンドを発行（令和5年度後半発行予定、参加希望団体：42団体）

## 図6−1−4　脱炭素化推進事業債の概要

資料：環境省 脱炭素ポータル　https://ondankataisaku.env.go.jp/carbon_neutral/

# 資料編

脱炭素に取り組む意義、趣旨、事例などを紹介

○脱炭素ポータル（環境省）

https://ondankataisaku.env.go.jp/carbon_neutral/

脱炭素先行地域の関連情報を紹介

○脱炭素地域づくり支援サイト（環境省）

https://policies.env.go.jp/policy/roadmap/

地方公共団体連携や地域脱炭素連携企業、アドバイザーなどを紹介

○地域脱炭素プラットフォーム（環境省）

https://policies.env.go.jp/policy/roadmap/platform/

温暖化対策の支援制度を紹介

○地域脱炭素の取組に対する関係府省庁の主な
　支援ツール・枠組み（環境省）

https://policies.env.go.jp/policy/roadmap/supports/

○エネルギー・温暖化対策に関する支援制度（経済産業省）

https://www.kanto.meti.go.jp/seisaku/ene_koho/ondanka/ene_ondan_
shienseido.html

地域脱炭素に関する計画策定のマニュアル、手引きを紹介

 ○地方公共団体実行計画 策定・実践マニュアル（環境省）
https://www.env.go.jp/policy/local_keikaku/manual.html

 ○中小規模事業者のための脱炭素経営ハンドブック
https://www.env.go.jp/earth/SMEs_handbook.pdf

 ○地域のための地方創生ゼロカーボン 実務担当マニュアル
　＜1＞フロー図・チェックポイント編（内閣府）
https://www.chisou.go.jp/sousei/about/green/pdf/r04manual.pdf

 ○エコツー:全基礎自治体のエネルギー消費量・エネルギー起源
　$CO_2$排出量データベース（株式会社 E-konzal）
https://www.e-konzal.co.jp/e-co2/

# 【用語集】

(環境省「脱炭素ポータル」、経済産業省資源エネルギー庁 Web サイト等より引用)

---

[i] **カーボンニュートラル**

　「排出を全体としてゼロ」というのは、二酸化炭素をはじめとする温室効果ガスの「排出量」から、植林、森林管理などによる「吸収量」を差し引いて、合計を実質的にゼロにすることを意味している。

[ii] **ZEH（Net Zero Energy House）**

　ネット・ゼロ・エネルギー・ハウスの略語で、「エネルギー収支をゼロ以下にする家」という意味。家庭で使用するエネルギーと、太陽光発電などで創るエネルギーをバランスして、1年間で消費するエネルギーの量を実質的にゼロ以下にする家を指す。

[iii] **ZEB（Net Zero Energy Building）**

　ネット・ゼロ・エネルギー・ビルの略語。先進的な建築設計によるエネルギー負荷の抑制やパッシブ技術の採用による自然エネルギーの積極的な活用、高効率な設備システムの導入等により、室内環境の質を維持しつつ大幅な省エネルギー化を実現した上で、再生可能エネルギーを導入することにより、エネルギー自立度を極力高め、年間の一次エネルギー消費量の収支をゼロとすることを目指した建築物。現在、ZEB の実現・普及に向けて、4段階の ZEB を定性的及び定量的に定義している。

定義については、以下の「環境省 ZEB PORTAL」を参照。

https://www.env.go.jp/earth/zeb/detail/01.html

#### iv BEMS（Building Energy Management System）

業務用ビル等、建物内のエネルギー使用状況や設備機器の運転状況を把握し、需要予測に基づく負荷を勘案して最適な運転制御を自動で行うもので、エネルギーの供給設備と需要設備を監視・制御し、需要予測をしながら、最適な運転を行うトータルなシステムのこと。

#### v 地域マイクログリット

平常時は下位系統の潮流を把握し、災害等による大規模停電時には自立して電力を供給できるエネルギーシステムで、「災害時のエネルギー供給の確保によるレジリエンスの向上」、「エネルギー利用の効率化」、「地域のエネルギーを活用することによる地域産業の活性化」が期待される。

#### vi レジリエンス

「回復力」「弾性（しなやかさ）」を意味し、再生可能エネルギーをはじめとした分散型エネルギー供給システムを活用し、災害からの早期回復、早期復元を図ること。

#### vii 電気の排出原単位

発電量（kWh）当たりの $CO_2$ 排出量。
実排出係数は、電気事業者が小売りした電気の発電に伴い排出した二酸化炭素排出量（実排出量）を販売した電力量で除した数値。

調整後排出係数は、実排出量から京都メカニズムクレジット・国内認証排出削減量等を差し引いた調整後排出量を販売した電力量で除した数値。

[viii] **メガソーラー**

設備容量が 1,000kW 以上の太陽光発電所で、全国で 6,000 件以上が稼働しており、FIT 制度の認定を受けているが未だ稼働していない設備も含めると 9,000 件以上に達する。

[ix] **ウィンドファーム**

多数の風力発電設備を 1 カ所に設置し発電する施設で、全国で 100 カ所近くあり、北海道、青森県、秋田県、三重県、高知県、鹿児島県に集中している。

[x] **次世代型急速充電設備**

国内における現状の急速充電器は、最大出力 50kW のものが多く、高速道路のサービスエリア等で最大出力 90kW 程度のものの整備を推進しているところである。

次世代型急速充電設備は、最大出力 150kW 程度のものを指し、充電料金の課金システムも従来の 30 分を基準とする時間制ではなく、充電量を基準とした課金システムとする。

[xi] **サーキュラーエコノミー**

従来の 3R の取組みに加え、資源投入量・消費量を抑えつつ、ストックを有効活用しながら、サービス化等を通じて付加価値を生み出す経済活動であり、資源・製品の価値の最大化、資源消費の最小化、廃棄物の発生抑止等を目指すもの。

[xii] **KPI（Key Performance Indicator）**

「重要業績評価指標」と呼ばれ、目標の達成度合いを評価する「中間指標」のこと。

## <sup>xiii</sup> 非化石証書

再生可能エネルギーなど$CO_2$を出さない電気の「環境価値」のひとつである「非化石価値」を対象に、証書のかたちにして売買を可能にしたもの。

## <sup>xiv</sup> ポジティブゾーニング

「改正地球温暖化対策推進法」に基づくもので、地方自治体が地域の再エネ導入量の目標を設定し、環境や景観保全の観点、社会的配慮なども考慮して、再エネを促進させる「促進区域」を設定し、事業者に対し、適地への誘導を促すしくみ。

## 【単位について】

| 表記 | 意味 | 備考 |
|------|------|------|
| J | 熱量 | J（ジュール）はSI単位系のエネルギー基本単位<br>運動の法則に基づく基本の力1N（ニュートン）で1mの仕事をした時のエネルギー（J = Nm）。慣用単位として使われるcal（カロリー）との関係は、1cal ≒ 4.2J。灯油1Lは36.7MJで、18Lでは約660MJとなる |
| kcal | 熱量 | 1gの水を1℃上げるのに必要なエネルギー量が1cal<br>1kcal = 0.001163kWh = 4.18605kJ |
| kW | 電力 | 仕事率の単位で、1秒当たりのエネルギー量または仕事量（kW = kJ/s） |
| kWh | 電力量 | 1時間当たりのエネルギーの量を表す(kWh = 3,600kJ = 3.6MJ) |
| k、M、G、T | 単位変換 | k（キロ）= $10^3$　M（メガ）= $10^6$<br>G（ギガ）= $10^9$　T（テラ）= $10^{12}$ |

【座談会】

# 脱炭素先行地域の取り組み−群馬県上野村

　脱炭素先行地域に選定され、地球温暖化対策を推進している群馬県上野村の担当者にその取り組みについて語っていただいた。

2023 年 12 月　化学工業日報社にて収録

[出席者]

佐藤　　伸 氏（上野村役場 振興課 課長）

黒澤　　力 氏（上野村役場 振興課 係長）

竹林 征雄 氏（一般社団法人日本サステイナブルコミュニティ協会 顧問）

金谷　　晃 氏（Ｈ＆Ａ環境計画株式会社 代表取締役）［司会］

 ## 上野村における脱炭素事業の取り組み

**金谷**：本日、司会を務めます金谷です。

　私と上野村との関わりは木質の資源量調査とその利用状況を踏まえて、地域でどのように木質資源を活用していくか、主には間伐材を主体としたエネルギー利用についての取り組みに携わったのが始まりでした。

　現在、環境省が支援している脱炭素先行地域事業（2022 年度〜2025 年度）において、上野村は第 2 回の脱炭素先行地域に選定されました。

　上野村では一部の限定エリアではなく対象を全村（地域）としているので、一部区域を対象とする多くの脱炭素先行地域と異なり、全国の自治体においてその取り組みは参考になると思います。本日は脱炭

素事業を推進している上野村の担当者に概要を伺いたいと思います。

**佐藤**：これまでの取り組みを紹介しますと、平成26年より木質バイオマス発電を導入しました。これが最初のステージとして、上野村で伐採した木材がエネルギーとなり、ペレットが生産され、それにより林業事業体にもお金が回るという地域資源循環の仕組みが構築されました。はじめは林業の視点から進めてきた経緯があります。

　エネルギー源に上野村の木質資源を活用したペレット工場の稼働により、村内にそのエネルギーの利用設備であるペレットボイラーを導入、一般家庭へはペレットストーブの普及に注力しました。

　その後、生産安定のために工場増設を行い、また中学校にペレットボイラーを設置した際に環境省の補助事業を利用しました。林業の面だけでなく環境という観点からも事業を進めていこうとなり、Ｊ－クレジット制度の認証を受け、二酸化炭素の排出量削減する活動に繋がる認識をもって取り組んできました。

　その中で、環境省の脱炭素事業に応募し、第2回の脱炭素先行地域に選定されました。上野村は人口1,000人強規模のため、対象を全村（地域）として2030年までに民生部門で電気消費に関わるカーボンニュートラルを目指す計画です。

　公共施設および一般家庭への太陽光発電設備や蓄電池の設置に加え、電気自動車の購入、ソーラー温水器、薪ストーブの設置などへの補助など、全村民が恩恵を受けることができ、かつ脱炭素への貢献ができる事業を、約6年間で達成したいと取り組んでいます。

**金谷**：脱炭素先行地域に選定され一年が経ちました。業務執行にあたり苦労されたことなどはありましたか。これから取り組まれる自治体の皆さんの参考になると思います。

**黒澤**：環境省については補助金事業ということもあり、報告資料の作成などがありました。（環境省）関東地方環境事務所は、市町村側を向いて取り組んでいただいており助かっています。

　村民、一般の需要家を含めた合意形成はどこの自治体においても難

黒澤　力氏

しいと思いますが、上野村も人口が少ないながらも様々な考え方があり、補助金制度や設備普及などの取り組みについても半信半疑や様子見から始まりました。その後、全地域での地区別懇談会を開催、脱炭素事業の説明を行なったところ、これを機に村民の理解が深まり（村民からの理解も得られ）、申し込みが増えました。今年度は初年度ということもあり、少し時間はかかりましたが、今後は今年度の動きを踏まえてしっかり進めていく光が見えたかと思います。あとは上野村のことを考えて行動してくれる各関係事業者の方々にも助けられながら、事業が進められている状況です。

**金谷**：私も計画作成に携わりましたが、順調にスタートされたと思います。支援内容は手厚いものになっていますが、補助率など具体的内容の説明をお願いします。

**黒澤**：太陽光発電設備では、太陽光パネルの設置工事費の6分の1を個人負担いただいています。蓄電池については、環境省の補助金プラス上野村で全額補助となり、一般家庭では無償で導入できます。こちらは、上野村の所有権のまま、各一般需要家の屋根などに乗せ、蓄電池が置かれることになるので、太陽光パネルの負担が6分の1ですが、蓄電池は無償、概算では全体事業費の約1割負担でその設備が家庭に設置されます。申請書類は役場で用意をし、業者とのやり取りも役場が行いました。希望する家庭にはすべて設置できるようにしましたが、日照の問題で一割程度の家庭で設置が難しいと想定しています。

　また、電気自動車（EV）につきましては、現在、国で進めているクリーンエネルギー自動車（CEV）の補助金等がありますが、EVの補助金をそのまま上野村から村民へ支給するという、国の補助を村が代行し

て支給するスキームにした上に、村独自の取り組みとして村の単独予算で同額を上乗せすることを行っています。軽自動車のEVを例としますと、国からの補助金が55万円である場合、村からも55万円を上乗せします。EVを1台購入した場合、110万円の補助金となります（5年以上乗るなどの条件あり）。太陽光発電、蓄電池に加えEVにも補助金が出ますので、興味のある方においては魅力的な内容であると思います。

**金谷**：非常に手厚い支援内容です。制度を利用された方には、EVの乗り心地についてのアンケートを実施してその結果を広報して支援事業の利用率アップに繋げていくのが良いかと思います。

**佐藤**：上野村役場では現在、自動車会社よりEVを1台貸与されており、また今年度には公用車として2台導入を準備し、EV化を進めていますので、乗り心地についても住民に伝えることができます。

**金谷**：充電についても乗らない時間でしっかり充電ができる点もまだ使っていない方からすると時間がかかると思われがちですが、そうではないのだと広めていただけたらと思います。

　また、国からの補助金（3分の2）と村の持ち出し分が発生しますが、脱炭素事業を進めていこうという意気込みで、予算を確保されているのでしょうか。

**黒澤**：今回の太陽光発電設備関係では、国からの補助金（3分の2）があり、村が残り3分の1の費用に対して、さらに半分を補助します。設置工事費の個人負担が6分の1となり、蓄電池については無償としました。

　上野村は「Ueno 5つのゼロ宣言」（令和2年8月）を表明しており、その中で、【宣言3：災害時の停電「ゼロ」】を謳っています。非常時にこの蓄電池で一般家庭の電気を賄うこともありますので、闇雲に補助率をかさ上げしていることではなくて、事前に予定されていた計画に基づいて、個人負担の割合を算出しています。他の自治体においても同じ目標であればいいのですが、上野村では目的がありこの補助率

金谷　晃氏

になっています。

**金谷**：「5つのゼロ宣言」については群馬県も宣言しており、それを踏まえての宣言ですね。特に上野村では風水害が起きた場合は、復旧に時間がかかってしまったり、停電などを考慮すると、蓄電池があることにより村民の生活快適度、利便性も向上すると思われます。それを踏まえて蓄電池の無償化に結びついているのですね。

　また、今後のリサイクルについてはいかがでしょうか。耐久性（保証期間）が太陽光パネルは20年以上、蓄電池は10年程度とされています。

**黒澤**：リサイクルについては承知していますが、大量導入し一定期間（10～20年）経過した場合、将来的に現在よりも開発・進展しているであろうそのときの技術を用いて対応していくことになると思います。これは日本だけでなく全世界で考えていく課題です。

**金谷**：これから10～20年後を考えれば、そのときには有効なリサイクルシステムが確立されているでしょう。今は待ったなしの脱炭素事業を推進し取り組んでいくことが重要でありますし、各自治体の皆さんにも最初の一歩を踏み出していただくことを強く願います。

##  地域電力融通システムの構築

**金谷**：第1回の脱炭素先行地域に選ばれなかった理由のひとつに関係者（地域住民、関係事業者など）との合意形成が挙げられます。2030年までに（地域電力として）新電力会社を設立する内容で申請をし、加えて高いハードルになりました。

　それを踏まえて、第2回では上野村が新たな地域新電力会社を設立するのではなく、村が主体となって地域電力の先駆けである企業［中

之条パワー㈱、本社：群馬県中之条町］の協力を得て電力の融通をはかるという内容としました。これは小規模な自治体にとっては参考になる好例です。近隣の自治体にある既存の電力会社の協力を得て（電力の）地産地活をはかる手法は全国のモデルになりますし、上野村の大きなアピールポイントとなります。

　合意形成および電力融通について、苦労された点を伺えますか。

**佐藤**：合意形成については、それまでの住民へのアンケート等で概ね反対はなかったのですが、実際はやってみないと分かりませんでした。制度の内容を説明し、住民にも恩恵（メリット）があることが理解してもらうことや普段から行政に協力的な住民も多いため、皆さんに支えられて進めています。

　地域新電力については、第1回の脱炭素先行地域に選ばれなかった理由になったかと思います。上野村が運営していくためのマンパワーなどの人材確保や技術的な問題もあり、実現可能性が低く、現実的でありませんでした。そこに協力を得られる電力会社が見つかりました。協力するにあたり互いにメリットがなければならないこともあり、冒頭の概要では触れませんでしたが、小型木質バイオマス発電設備を5台導入する計画があります。太陽光だけが過剰で日中に大量発電しても、一日を通して発電をし、夜の分を売電できる仕組みがないと協力もままならないこともあり、電力会社に対し、夜の余剰電力を他の地域よりも上野村から安く調達できるメリットを示しました。また村内で契約した需要家に対しても、法定より安価で電気が使える契約形式「うえのむらでんきメニュー」（村長命名）を作りました。また、自宅に太陽光パネルを設置できない家庭においては「うえのむらでんきメニュー」で再生可能エネルギーを使っていただく案を出しました。しかし、それがすぐに実現できるわけではなく、公共施設等に太陽光発電設備を導入していくなかで、余剰電力がどのくらい出るかも見ていく必要があります。実現性が見えてくれば村民にもメリットがありますので、この方式に移行していきたいと考えています。

金谷：太陽光だけですと日中は余剰がたくさん出ますが、夜は発電できないので蓄電池で貯めて村内で無駄なく使っていく取り組みや、余剰分は電力会社に売電するというとても良い仕組みができたと思います。

　この仕組みの稼働開始は、木質バイオマス発電設備がある程度の台数が導入されたタイミングになりますか。最初の導入はいつ頃の予定でしょうか。

黒澤：令和7年（2025年）度から導入が始まりまして、7年度、8年度の2カ年で終わる計画です。

金谷：令和8年度には本格的に稼働開始となるのでしょうか。

黒澤：令和8年度に導入した機器が動いたのを確認してからになりますので、翌令和9年度の途中くらいからが本格的なスタートになるかと思います。

金谷：冒頭の概要内容に戻りますが、上野村は中学校にペレットボイラーを設置した際に環境省の補助金事業を初めて利用しました。それ以前に福祉施設などでペレットストーブ、ペレットボイラーを設置したときには林野庁の補助金事業を利用していますが、やはり林業系になりますと（農林水産省）林野庁の支援内容は充実しています。林野庁と環境省の支援内容は、それぞれ特徴があったかと思いますが、その違いについて伺えますか。

佐藤：林野庁については直接ではなく、群馬県の藤岡森林事務所が助言から導入、書類作成まで手厚くフォローしていただきました。補助率は2分の1です。

　環境省については執行団体があいだに入っての補助事業です。自治体主体で動きまして、経過報告書の作成等があります。補助率は3分の2です。環境省の補助金で導入したボイラーは、Ｊ－クレジット制度の対象外となることが導入後に判明したのですが、これには少し戸惑いました。各官庁ごとにそれぞれ特徴があると思います。補助事業について感謝しています。

金谷：脱炭素事業を進めるにあたり、（群馬）県と連携していくことは大事だと思います。農林水産省（林野庁）の事業は県を通して手続きすることが多く、環境省は直に自治体とのやり取りになりますが、間に執行団体が入ってというところがあります。補助率の割合だけでなく、目的に沿った事業を都道府県とうまく連携して進めていくことが大切かと思います。

　もう一つ、佐藤さんの名刺に脱炭素先行地域のロゴが入っています。他の自治体と名刺交換した際に反応などはありましたか、またロゴを入れた経緯を伺えますか。

佐藤：（環境省）関東地方環境事務所より承認を得て入れました。（ロゴに）気付かないのか、反応はまだありません。

金谷：ロゴに付随して QR コードなどで取り組みがわかる工夫もあれば良いかと思います。

 ## 自治体で専門人材を育てるには

金谷：内閣府の地方創生人材支援制度には“デジタル専門人材”と“グリーン専門人材”が令和 4 年度より新たに加わり、弊社はグリーンに登録しています。

　先般、全国のデジタルとグリーンの専門人材の情報交換会が東京であり、ワークシートを用いて地域脱炭素をいかに進めていくかをワークショップ形式で議論しました。地域脱炭素事業は非常に幅が広いのですが、人材育成の面で行政、自治体では一定期間（2〜3 年）であるいは 1 年で異動となるケースが頻繁に発生し、なかなか一定の専門知識を身につけた人材が育ちにくい。それをフォローするために私のようなコンサルタントの仕事もあるのかなと思うところでありますが、地域脱炭素事業のような幅が広い業務については、一定期間、最低でも 3 年、長ければ 5 年、10 年などの期間でその部署に在籍し、自治体内で専門人材を育てていく取り組みが重要と思います。

黒澤：私たち市町村職員というのは、各業務の知識を広くといいます

か、浅かったり深かったりする知識が必要とされる中で、現在、私は脱炭素先行地域の事業に携わっています。この事業が動き出した後、いつ引き継げる状態になるかについても考えながら取り組んでいますが、どうしても異動は発生しますし、特に上野村役場の場合、職員数が35名程度とだいぶ少ないため、私の他に誰か担当職員が残って引き継げるということが想定できないわけです。大都市の自治体であれば、例えば2人とか、3人の複数体制で、サブ担当などもいて引き継ぎをしながら、少し業務内容を分かっている人が残って継続することが可能であると思いますが、上野村ですとそういうことができませんので、常にこの後に来る人（担当者）のためにどのようなことができるのかを考えています。私（黒澤）と誰か、私と金谷さんの付き合いとか、そのような私と誰々の付き合いが1担当で回っている状態は危険であるとは認識しています。やはり、誰が来ても継続できる状態にしなければいけないし、知識は1から勉強してもらう必要はありますが、ある程度回る仕組みは必要で、例えば、コンサルタントとの繋がりについても、村とコンサルタントとの繋がりをしっかり作っておくことで、担当職員は抜けたがコンサルタントは継続して村と付き合ってるので、しっかりと支えることができる状態にある。とりあえず道筋を作っておけば、そのあとの判断はそのときの職員がするのかなと思っています。そのときの首長、村長がどう判断するか、そのときの課長がどう判断するかに左右されてしまいます。組織の人数が少なければ少ないなりに左右されるものですから、そのようなことがあったとしてもなんとか前に進められるように準備をしておきたい、しておかなければいけないのが上野村の職員だと思っています。

**金谷**：少数精鋭で業務にあたられているのは私も目の当たりにしていますけれども、まずは日常的には教育や福祉を重視する首長が多いと思います。教育、福祉の取り組みをしっかり行い、その蓄積と並行しながら脱炭素先行地域のような環境といいますかエネルギー関係についても林業と一体的に取り組んでこられた黒澤八郎現村長、前任の神

田村長も含めて、リーダーシップが花開いているのだと思います。

##  地域内経済循環の好例

**佐藤**：村長が前向きにいろいろな判断をしまして、林業も木質バイオマス系の事業も見方によっては赤字事業になっていますが、それが地域のエネルギー循環になり、いろいろな経済効果がある中で、赤字の部分もありながら続けてきました。それにより脱炭素先行地域になったことで上野村にとっても大きなメリットが生まれたことは村長の判断がさえているところです。この脱炭素事業も個人のメリットだけではなくて、きちんと地域課題と向き合い、林業の再生と防災・災害に強い村づくり、公共サービスのコスト削減等ができ、エネルギー費が下がることにより、移住者、定住者の確保という地域課題にしっかり繋げて、脱炭素事業をしっかり行いながら、地域にとって意味のあることですよと、今までやってきたことが繋がって、村長が進めてきた事業が形となって脱炭素に繋がっていくことが重要で、そこはまた村長の評価を高めることになると思います。

**金谷**：確かに単体の事業で見ると赤字になる傾向も見られますけれども、その広がりの中で観光収入に結びつくことや、外部からの化石燃料で担われていたエネルギーコストを内部化できたことにより、外部に流れていたエネルギーコストが他の必要な支援に回っていくという点では、単独事業として見るだけではなくて、その大きな広がりが地域経済として回り軌道に乗ってきているのではないでしょうか。

　また、上野村は地域内経済循環の例として、木質バイオマス発電設備のあるきのこセンターがありますが、今後どのような広がりを見せていきますか。

**竹林**：地域内経済循環は、地域乗数という言葉で経済学的に広く使われ始めています。自治体ではこれまでそういう概念がなく、年間予算を立て、それをきちっと遂行していく、不足分は国からの様々な調整という形でいただいているということでしたが、今は多くの自治体が

竹林 征雄 氏

地域内で投資、もしくは地域内の民間企業が地域内の資材、資源、地域資本などを活用した事業による経済効果、地域の中でお金が何回転するかということが、これからの自治体の評価ポイントになることはもう明明白白です。そして、今ほとんどの日本の自治体に言えることは、少子高齢化もあり経済的にも少し減少、衰退気味です。この課題を抱える中で、自治体経営を行うというのは非常に難しいことです。重要な良い事業で執行したく助成金もあるが、2〜3年の短期目線で赤字は出しちゃいけないと憂える自治体が多いのが実態です。またさらに減少スパイラルが負の循環になり、それをいかに食い止めるかは地域循環がこの事業を実施した場合、少し長い先を見るとどれほど増えるのかなどを自治体幹部は常に頭を使いながら執行していくことが、これからは必要だと確信しています。それが一つ大きなポイントであり、上野村の場合、木質ペレットを作り、バイオマス発電設備で発電をし、きのこセンターで電力活用することで地域乗数は 2.2 回転ぐらいお金が回っているのです。エネルギー燃料費は日本の自治体の9割分が全部外部に流出で、その外部に出た大部分はすべて産油国に流れ、それはもう膨大な金額になるわけです。その何割かが地域の中に残ることは、森林資源を持っている、風が多く吹くような海がある、土地がある、それらをエネルギーとして生かせる地方自治体は非常に大きなメリットになるはずです。山林を有している上野村はお宝を抱えています。近い将来化学工業素材にまで木材のすべてが利用可能となるような世の中です。極端な言い方をしますと、石油と木材は同質であり、水が多く含まれているか含まれていないかの違いです。木材を多く有しているところは、これからの経営、自治体のやり方でもっと変

わってくるでしょう。そのような取り組みは、脱炭素事業を越えて地域を良くし、町づくり、村づくりにさらに役立つであろうと考えます。

**金谷**：上野村の地域内経済循環、地域乗数ということで、バイオマス発電設備がきのこセンターに設置され、その効果が今2.2倍以上に広がっています。こうした地域経済効果が新たに生み出されていて、地域脱炭素事業は地域の課題解決に繋がり、それが地域の産業振興にも波及して非常にいい好例になっています。

## 🍁 全国へ展開可能なモデルの情報発信

**金谷**：上野村はこれまでの蓄積があり、地域脱炭素に対して先進的であるけれども、そこでしかできないような内容ではなく、全国へも展開可能なモデルとなっています。対外的に情報発信することは他の自治体にとっても良い情報源になりますし、勉強する機会にもなるでしょう。上野村では、地域外からの視察をはじめ、いろいろな観光施設の整備も進められていますので、環境学習ツアー、エコツアーなどと合わせて休暇を上野村で過ごしていただくためにも、対外的な情報発信は今後重要となると思います。脱炭素事業を検討している自治体の方々にはぜひ上野村を視察して、特産品（土産）を購入し、宿泊もしていただいて経済を回していただければと思います。

**佐藤**：現在、バイオマス関係では視察ツアーを受け入れています。年間70人ほどの視察者が来られていまして、木質バイオマス発電設備を中心に、ペレット工場等も見学案内をしています。それにより観光関係へも寄与しているところでありますが、この脱炭素事業を通して、コージェネレーション設備を導入する計画もあり、環境省から達成状況の報告を求められるかもしれませんし、実際の発電状況などを見て、聞いて、知って面白いなと思えるような情報を発信し、受け入れ可能な数の視察に繋げることができれば良いかと考えます。

**金谷**：オーバーリズムになりますと、住民の生活にも影響が出ますのでそこのバランスは重要ですし、ある一定の規模までは視察に来てい

ただきたいところであります。また、コテージリゾート「まほーばの森」のイルミネーション（県内2位のイルミネーション数）観光にも力を入れています。イルミネーションの電源は現時点では再生可能エネルギー100％ではありませんが、100％再エネ化されればアピールポイントになります。

##  実現可能性を追求した予算設定を

金谷：先ほど出ましたJ−クレジット制度は、国が省エネルギー機器の導入や森林整備を経営計画に位置付けてきっちり行うことで、温室効果ガスの排出量削減や吸収量に関して成果があったものはクレジットとして取引できる制度ですけれども、認証するにあたり補助金が不足するなどで認証を受けたかったのに受けられなかった（自治体がある）ことがあり、私が関わった再生可能エネルギーを最大限活用する、導入するための計画作りでの補助金についても自治体の応募が多く、過去に1割くらいしか採択されなかった事業もありました。国の補助金事業に対する利用見込みが甘く、予算取りが少ないなどがここのところ目につくかなとも感じていますが、その点はいかがでしょうか。

黒澤：補助金全般というよりは、今回、脱炭素事業の担当として実現可能性を環境省から追求されていた立場として申し上げますと、国の予算取りも実現可能性を追求して設定すれば良い話だと思います。要は事前に合意形成を少しでも取って、現場目線で予算取りしていただければ良いだけのことであり、出先機関もあるわけですし関係各所の協力を得れば、そこまで難しいことではないと感じます。J−クレジット制度も同様ですし、電気自動車関連で申しますと、急速充電器の補助なども来年度の補助金枠が既に危機的状況である、危機的というのは申請数に対して枠の上限いっぱいになっているのではないかと言われています。そう考えると影響が大きい事業についてはもう少し合意形成を取りながら、予算取りをやっていただきたいなと思います。

　今回の地域脱炭素先行・再エネ推進交付金につきましては、市町村

の条件等によって上限が決められているのではなく、一律50億円まで活用できる素晴らしい事業です。ここは頭を使ってしっかりと計画を策定する自治体が補助金を活用できるのではないかと思います。このやり方であれば、国からちゃんと考えてくださいよと言われてるのと同じですから、自治体側もこれはしっかり考える必要があることになります。予算枠が少ない場合で応募期間が当初1年間であったのに開始2カ月で補助金制度が終わりましたとならないためにも予算取りの前に合意形成できて、それに応じた予算を組んでいただければありがたいです。

金谷：予算編成時に少なめに見積もるのではなくて、もう少し多めに取り、多めに取る中でも使いきれない場合は、温暖化対策という大きなくくりの中で、少し融通し合えば良いのかと思います。一つの事業内でしか利用できないのは、国の予算の問題点かなと私も感じています。

##  ギャップがある促進区域設定の考え方

金谷：環境省が昨年度から地域脱炭素化促進事業の中で促進区域等設定について動き出しています。事務事業編は、温暖化対策実行計画の中で自治体の管理する施設を対象にしており、すべての自治体に義務化されています。これは行政の業務に関わる、施設に関わるものなので、自治体の意欲次第でできるものです。区域施策編は、それに加えて、住民・事業者もすべて対象として含めて、全エリアを対象とするためハードルが高くなるので、一般の市町村には義務化されていません。

　その中でも、上野村では昨年度の温暖化対策実行計画で事務事業編、区域施策編を一本化したものを作成済みですが、それに対して、環境省から再生可能エネルギーの導入および脱炭素を推進する促進区域を設定してくださいと確認があったとのことでしたが、区域設定はすべての自治体において本当に必要なのかなと少し疑問があります。元々、促進区域はゾーニングして、メガソーラーや大型の風力発電設備など、

佐藤　伸氏

住民に対して騒音や土砂崩れの問題などを回避するために、促進するところと保全するところをしっかり線引きして、土地利用していきましょうが出発点だったと思うのですが、広く、全部の自治体に促進区域を設定していくような流れが見えます。

**佐藤**：全国的に脱炭素を進めていく上では、意味があるのかもしれないですけど、上野村は脱炭素先行地域に選定されており、全村が促進区域なので上野村にとってはあまり意味がないものになっています。

**金谷**：促進区域設定は全村ですと環境省から委託をうけた事業者に回答したところ、全村ではなく、全村の中でも特に促進する区域を設定してほしいとの言い方をされるものですから、それはちょっと違うのではないかなと思いました。

**佐藤**：そうですね。上野村は全村が対象で特に先に行う区域などはなく、全体的にやっていくのでそのことについてはもう回答の仕様がないです。全村としか言いようがありません。

**黒澤**：促進区域の考え方については先ほど申し上げた通りですけれども、担当からすると、この促進区域の設定はいらないかなと思っています。（上野村の場合）全村で脱炭素を目指していく目標がある中で、あるエリア（区域）を設定することの意味が分からないというのはあります。その他に、上野村は観光にも力を入れていますので、観光地としての目的地でもありたいのです。

　この脱炭素先行地域の計画を考えるときに注意しなければならないことがあり、簡単に言えば、（上野村の）景観を守りたいというのが並行してあります。例えば、メガソーラーであれば広大な空き地があり、そこに設置するのであればいいのかもしれないが、太陽光パネル

を大量に乗せるために山を切り開いて遂行するなどは想定したくない、想像したくありません。私が観光で来る立場であれば、そのようなところに観光で行きたくないと思いますので、促進区域設定の話に戻すと、脱炭素を進めたいがために切らなくていい山を無理やり切ってるなどは嫌ですね。上野村は、再生可能エネルギーを導入しながら自然と調和している田舎の村というところを目指していますが、例えば村の事情を知らない事業者に、積極的にこれこれの事業をやってくださいと入ってもらうような区域を作るのはどうなのかなとも思いますので、今、行政主体で脱炭素先行地域の事業を進めていますけれども、段々に民間の事業者もいろいろな考えを持っていくでしょうから、将来的には話し合いを重ねていき、いろいろな上野村のあり方を考えていけば良いと思います。

**金谷**：今後は人口の減少が進んでいき、余程の大都市でもない限りは、生産力確保、生活の質向上という点を考えて、交流人口を増やしていくことは必須の状況になりますので、観光振興のために今の里山里地の景観というのは非常に重要な要素です。ひっそりと、できるだけ目立たないところにありながらも、しっかり地域資源を活用して、地域内でエネルギーもエネルギーコストもお金が域内を回っていくという地域作りが今後も広がっていけば良いと思います。上野村はその先頭を走っています。

**竹林**：促進区域について話をしますと、上野村役場の庁舎は築50何年で、建物はもう古くなっていますので、ZEB（Net Zero Energy Building：ネット・ゼロ・エネルギー・ビルの略称）化をやられるわけです。ZEB化を目指すのであれば、地域木材を使い、3階建てなどを建てると、そこはエネルギーセンターにも、マネジメントセンターにもなる、なおかつ防災拠点にもなるわけです。ここは村の中枢行政地区であり、インフラのマネジメントの中核を成す場所です。

　このような視点を持つことが非常に重要であり、具体的にはそこにエネルギー源として太陽光パネル設置や、小さなバイオマスガス化を

導入し、お湯も電力も自立活用も可能で、さらに群馬県の町村の中で、最初に地域マイクログリットを構築、導入を進めていくわけです。

　そのようなことが脱炭素先行地域の中で、さらに全村を対象として推進、促進していくことはとても重要なことだと感じます。それがまたいろいろな自治体に、それから日本全国に影響を与えるのではないかと思いますし、それはそのままインドネシアやベトナムやフィリピンなどの国々の小さな町村においても大変参考になるモデルであり、ソフトを加えてのモデルにもなります。そのような意味合いがあるのだとの認識を持って、促進区域の選定を考えていくことが良いと思います。

**金谷**：公共施設の中では一番シンボリックな施設にあたる庁舎（村役場）の ZEB 化の取り組みが、脱炭素先行地域の計画の終盤に控えてます。これと合わせて、非常時、災害時のレジデンス対応のマイクログリッドは、すでにシステムとして村内で構築されていますので、それをもっと一般家庭や民間施設にまで広げて、レジデンス強化を図って、本格的な、平時を見据えたマイクログリッドを構築していくことが、さらなるモデル化に繋がっていくと感じます。

　今、脱炭素社会を 2030 年までに目指していますけれども、2030 年までの取り組みは、比較的取り組みやすいかなと思います。取り組みやすいというのは、電化をどんどん進めて、電力の二酸化炭素排出量が 0 （ゼロ）、ほぼ 0 の再生可能エネルギーの電力をどんどん拡大していけば、おのずと排出量は下がっていくので、燃料から電化を進めて、電力使用に転換して、その電力を再生可能エネルギーに置き換えていくことで、国が掲げている温室効果ガス削減目標 46％というのはそこまでハードルが高くはないかなと思いますし、その次の 2030 年以降、2040 年頃までに燃料をいかに、今も燃やしている灯油や重油などを削減していくことは非常にハードルが高く、そう簡単にはいかないだろうという中で、木質のコージェネレーションはすごく有効です。発電しながら熱も作り、その温度が 80℃前後であり、生活で

使うには十分な温度ですから、これを地域熱供給し集落単位で活用していくことは、木質資源が活用できる全国に展開可能です。それを村役場の ZEB 化と合わせて、2030 年の先の 2040 年を見据えた取り組みの良いモデルになると期待しています。

##  全国の自治体へ向けてのメッセージ

**黒澤**：上野村の取り組みは、どの自治体でもできる事業であり、上野村で実現可能な事業を行っています。それが横展開と言いますか、全国の同様の自治体でもできるレベルのものと思って取り組んでいます。何か特殊な、特別な資格がいるものではありませんが、ただ、いきなりできますかって言われますと、それはそんなに簡単な話ではないです。上野村がこれまで培ってきた歴史、技術、知識などもありますので、いきなりやれと言われて全部の市町村ができるとは思わないですが、できる市町村は数多くあると思います。上野村をモデルにして取り組むことはできますので、まずは始めてみることを本当に考えていただいて、簡単に言えば、あの自治体でできたのだから、ウチでもできそうだなぐらいの気持ちで取り組んでいただきますと進むのではないかと思います。

**佐藤**：実際の執行はかなり大変だと思います。議会の対応や首長の判断などいろいろな調整が必要です。あと、土木、建築関係の技師はそれ相応にいますが、電気専門の技師はそれほどいない場合もあり、人材の確保等も含めて大変ですが、特に首長の意思（考え）がすごく重要になります。ウチの町、村でやるんだという強い意向があれば、あとはなんとかなるのではないかなとも思いますし、ぜひ首長に引っ張っていただいて、楽観的なことを言いますけど、まずは一歩を踏み出してみることが大事です。

**金谷**：まずは最初の一歩を踏み出すこと、トップマネジメント（首長）の意欲が必要ということですね。

　長時間ありがとうございました。

## 【上野村概要】

　群馬県南西部に位置し、埼玉県と長野県に接する。人口は薪炭生産の最盛期には約5,000人であったが、現在は1,043人（令和6年2月1日現在）であり、群馬県で最も小さい自治体である。地形は、急峻で複雑なため耕作地が少ない。広域の生活中心都市である藤岡市とは、約54km離れており、移動手段はバスと自家用車に限られる。

　上野村の総面積の95％を占める森林は、第1次産業で最も付加価値を稼いでいる林業と直結しており、最大かつ最重要な地域資源である。

　上野村では、林業の振興と共に、持続的な循環利用が可能である木質バイオマスの有効利用について、未利用間伐材を原料としたペレット工場の整備とともに、ボイラー、ストーブ及びコジェネ設備の導入・整備に取り組んできており、これまでペレットボイラーの累計出力は約1,500kW、ペレットストーブは80台、コジェネ設備は1台を導入している。2030年までに、広葉樹のチップ燃料を使用できるコジェネ設備を新たに5台導入する予定である。

## 【上野村　座談会スピーカー略歴】

**佐藤　伸**（さとう しん）

1994年 上野村へ移住、上野村森林組合に勤務。2000年 上野村役場へ転職（企画財政課）。

2009年より経済課（後に振興課）にて林業を担当し、木質ペレット工場やバイオマスボイラー、バイオマス発電設備等の導入に携わり、現在は村の脱炭素事業を担う。

**黒澤　力**（くろさわ ちから）

上野村出身。2004年上野村役場に入庁。住民課での窓口業務（住基・税金等）や保健福祉課介護・障害業務、群馬県東京事務所への出向などを経て、2021年4月から振興課へ異動となり、林業・木質バイオマス事業を担当。2022年度〜2023年度に環境省の脱炭素先行地域の担当として従事。

# おわりに

お読みいただいた皆様へ御礼と一言お伝えします。

本書が家庭や企業や役所内でも「気候変動による温暖化問題」に対する世界と国内の状況、そして今後の対応を理解し、具体的な対応策と実践に役立つなら、それは私どもにとって非常に大きな喜びです。

また執筆の機会があれば、第二弾として脱炭素社会形成への一層の実務面に重点を置いた書が刊行できれば幸いとも考えています。

本書は前半部分を竹林が著書『木質バイオマスエネルギー』や『SDGsビジネス戦略』、そして化学工業日報社から出版した『森林資源を活かしたグリーンリカバリー』などの総まとめとして「多様的な視点」から再生エネ導入・脱炭素社会を含めて自分事として書きました。

後半部分を担当した金谷は地方都市の再エネ導入による地域振興事業に関するコンサルティング、そして群馬県上野村の環境省「脱炭素先行地域事業」の前段から選ばれるまでの数年間の支援業務を手掛けました。その経験を踏まえて多くの自治体が再エネ導入や省エネ対策への早期取組の後押し、実践的な地域づくり含め事業の進め方や具体的な着手方策などを伝えるため筆を執りました。

本書をこのような形で刊行できたのは、上野村の黒澤八郎村長の脱炭素への熱意や佐藤伸様、黒澤力様による実践遂行に私どもも携わることが出来たからと感謝申し上げます。また推薦文を執筆いただいた加藤三郎様、小磯修二様、資料提供をいただいた山崎慶太様に御礼申し上げます。化学工業日報社の増井氏には大変お世話になり、深甚なる感謝と敬意を表します。

2024 年 6 月吉日

竹林 征雄／金谷　晃

# 著者略歴

## 竹林 征雄 (たけばやし まさお) [最初に、第 1 部]

㈱荏原製作所、横浜市立大学、大阪大学、国際連合大学、他委員会活動を通し「ゼ
ロエミッション、循環型社会」について活動。東京大学サスティナビリティ学連携
研究機構で、持続可能な社会形成に携わる。他アミタホールディングス㈱、㈱エン
ビプロ・ホールディングス、シン・エナジー㈱などでエネルギー関連のアドバイスを行っ
た。また、NPO 法人バイオマス産業社会ネットワーク、農都会議などで木質バイオ
マスエネルギー関係の啓発普及活動に注力。編共著 11 冊。

## 金谷 晃 (かなや あきら) [第 2 部、第 3 部]

千葉大学園芸学部環境緑地学科卒業。民間ディベロッパー、設計コンサルタント、
金融系総合シンクタンクを経て、2012 年 5 月に H & A 環境計画㈱を設立。持続可
能な社会形成に向け、地方公共団体および企業に対し、地域資源を最大活用した
多様な人々の連携によるコンサルティングサービスを提供。2021 年度に上野村から
委託を受け、再生可能エネルギーの導入マスタープランを策定支援し、2022 年度に
内閣府の地方創生グリーン専門人材として、上野村の脱炭素先行地域への申請を支
援。
鹿島建設グループ企業㈱アバン アソシエイツの顧問も務める。
公益社団法人 日本技術士会会員、一般社団法人 水素エネルギー協会会員。

# 脱炭素で輝く地域づくり

### 「自治体と民間」による共創－化石文明から再エネ文明へ

竹林 征雄／金谷 晃 著

2024年6月18日 初版1刷発行

発行者 佐 藤 豊
発行所 株式会社 化学工業日報社
〒103-8485 東京都中央区日本橋浜町3-16-8
電話 03(3663)7935(編集)
03(3663)7932(販売)
振替 00190-2-93916
支社 大阪 支局 名古屋、シンガポール、上海、バンコク
HPアドレス https://www.chemicaldaily.co.jp/

印刷・製本：昭和情報プロセス㈱
DTP・カバーデザイン：㈱創基
ISBN978-4-87326-770-8 C3033

【関連書籍案内】

太古からある森 × 最新の技術進歩がもたらす、
「懐かしい未来」に希望がある —— 日本総合研究所 藻谷浩介氏推薦

森林資源を活かした
# 「グリーンリカバリー」
地域循環共生、新しいコモンズの構築

竹林 征雄／編著

A5判・368頁　◎定価：3,300円（本体3,000円＋税10%）送料別　◎2021年4月27日発売

　私たちが暮らす日本は、自給できる貴重な燃料資源である森林を有しています。植林して手入れすれば永遠に再生でき、ペレット化して室内で使う、ガス化発電で集落の電気とお湯をまかなうなど、エネルギー利用効率の高い新技術が、今世紀になってどんどん進化していることを、都会に住んでいると実感できないのかもしれません。

　また、木の用途は建材や土木構造物だけでなく新素材の原料としても、どんどん拡大しています。使った後に最後は燃やせる、究極のエコ素材・木材を産む宝の山が、日本の森林なのです。

　化石燃料に頼り、地球を温暖化させ続ける都会と、水と食料と燃料をいざというときには自給できる田舎、どちらも選べる日本になり、環境を考える、身の回りのできるところから実践してみませんか。

　本書はそんな、豊かな世界への扉なのです。

ISBN978-4-87326-735-7

（執筆）
竹林 征雄：（一社）日本サステイナブルコミュニティ協会顧問
山崎 慶太：株式会社竹中工務店 技術研究所
谷渕 庸次：高山バイオマス研究所 代表、飛騨高山グリーンヒート合同会社 代表社員
東郷 佳朗：神奈川大学法学部准教授　法社会学専攻